CAMILA
LA RESCATADA

CAMILA
LA RESCATADA

Eduardo López

UNIVERSIDAD AUTONOMA
DE AGUASCALIENTES

PLAZA Y VALDES

PyV

EDITORES

Diseño de portada: Plaza y Valdés, S.A. de C.V.

Primera edición: abril del 2000

CAMILA LA RESCATADA

© Universidad Autónoma de Aguascalientes
© Eduardo López
© Plaza y Valdés, S.A. de C.V.

Plaza y Valdés Editores
Manuel María Contreras No. 73
Col. San Rafael, C.P. 06470
México, D.F. Tel. 5705-5120

ISBN: 968-856-788-4

Hecho en México

A los que buscaron en las roturas de la sangre...

Desde la entrepierna hasta las rodillas siempre jabonosa, siempre. Camila la enloquecida, la brava, la zumbosa, la rescatada. Camila muslos resbalosos desde aquella vez, desde aquella vez, desde que comenzó a reinar en los acontecimientos. Sí. ¿Cómo comenzar sin antes ceder a todo despellejamiento, a toda descostración? Cualquier carne y cualquier sustancia debe mostrarse a la luz de la intemperie. Así Camila sinuosa, la rescatada.

El pistilo es extremadamente frágil, pero sostiene la vida y todas sus circunstancias. Una gota de agua sostiene al mundo en tanto la sangre impone sus banderas en la dureza de los huesos. Solamente la acción es belleza. Y así fue más o menos que Camila la rescatada tomó conciencia de sí y de las cosas, asumiendo el grave poder de la delicadeza, que no es fácil, sobre todo si se considera que el mundo es el gran reino de las delicadezas. Todo es delicado y hasta frágil. Pero entonces lo más frágil se vuelve vórtice y estructura, es decir la ṣuma fuerza, o la Summa Fuerza. Las partículas sostienen al total. El más ciego de los ciegos es el más, es decir, el Ciego Supremo. He ahí la fuerza de Camila, que hizo de la delicadeza su fuerza suprema. Camila delicatosa. Camila Fortia.

Dijo desde entonces Camila la rescatada: *Mis ojos no ven lo que ven, sino lo que los otros les han ordenado. Es decir que yo no sé, por ejemplo, si lo de ahí, eso, es una mujer, ésa*

9

de mi espejo; o la idea que todos, antes de mí, tienen de una mujer. Con los sonidos, igual. El ruido de un torrente lo reconozco por lo que me han enseñado o impuesto, pero es igual, porque no importa si están ahi el agua y toda su fuerza. Eso debo saberlo. ¿No sucede acaso lo mismo con los sentidos que con las ideas? ¿No pasa lo mismo con la vieja discusión del bien y el mal? Entonces el mundo no es lo que es, sino lo que no es, lo que se ha contado, insisto, a partir de dudosas y falsas percepciones, física e ideológicamente. Pura cuestión de miedos, que son los resortes de toda voluntad. Mi fuerza no es mi fuerza, sino la que me han conferido. Esto es un asunto exclusivo de la percepción, pero de la percepción pura, instintiva, ni siquiera empírica, que los empíricos siempre fueron miopes y desanimados; y, sobre todo, íntimamente personal. Insisto en el término íntimamente. Qué nefasto. Un ejercicio de orden primero animal, es decir, totalmente desprejuiciado. Aleluya aleluya.

Privilegio:

Agonía	Contemplación
Miedo	Fortuna
Fatalidad	Placer
Perversidad	
	Recogimiento
o Sacrificio...	

oh, oh, el destino es la melancolía, el puro recuerdo de lo que no es. Procuro estar serena ante la inminencia del sacrificio.

Así dijo Camila la desolada desde aquella vez.

VERSE EN EL OTRO

Hasta aquí aquella reflexión de Camila la rescatada. Aquélla, solamente, porque hay más.

El Diario: Sí, una libreta como cualquiera, sólo que la escritura referida con flores; secas, claro está. Un código tan sólo para ella, o para alguien en la posteridad, quien pudo descifrar lo siguiente:

Agua cerca de los juncos
La espada se desangra
no es el músculo
no brilla la luz
solamente las cosas
por mis orejas
penden huesitos
de duraznos
la respiración de mi abuela
ingurgita
por mi boca
bocio purulento   pus

encarnación   célibe
usufructo   sanciones   pelambrera
botones   laúdes
mi bicicleta

Las flores secas entre las páginas y la hojarasca que borra todo calendárico monumento. Esta relación es el producto de horas de trabajo, de trasudaciones reflexivas, uñas rompiéndose entre la resequedad de los dientes. Eso no fue fácil. La libreta del Diario pudo haberse hecho una gran bola, un masacote de humus. Pero no, porque ese propio sedimento la protegió de la insidia del tiempo. Se rescató.

Y bien, Camila la rescatada, la traslúcida, vista en un velorio, equis velorio. Un deceso con los consabidos anteceden-

11

tes dolorosos y cosas como que aquella tarde el sol picaba las espaldas y que el día de todos modos había sido triste finalmente y que los deudos estaban o tal vez no transidos de dolor o de cansancio de noches metidos en trayectos gelatinosos con las bocas resecas de tanto platicar en voz baja o resecas también de tantos y tantos guardares de silencio, en fin, las supercherías de la muerte.

Pero no, si miramos la escena desde el ras del piso, podemos ver, sobre la duela, los zapatos de los dolientes y, con toda seguridad, las bases del féretro y de los cirios. Ocre la luz que se resbala con dificultad a través de diminutas astillas de madera desvencijada, como de barco bucanero después de un asalto de flotas españolas. La brea no resiste la carga de los calores adoloridos. Esa madera mil veces apisonada de talones y lagrimeos espectaculares. Esa madera de agrios olores es ya una madera absolutamente delicada, delicada. Y sobre la delicadeza ocre, un montón de zapatos hinchados y silenciosos. Hasta allá van los ojos amielados y grandes de Camila la inusitada, la cocodrila. Las sombras de los cirios danzan en el piso, mantarrayas dolorosas y delgadas. Se nos olvida que un muerto bien puede no estar muerto, ah, las complejidades: el amor a los otros y el amor propio; el doler a los otros y el doler propio. Los ojos de Camila la memoriosa mirando desde el ras del piso dejándose llenar del polvo de las alucinaciones. La duela rechina en cuanto apenas. Sí, sí, los zapatos hablan por sus dueños. Qué dudas nos dicen las suelas gastadas y los cueros escoriados. Zumba el polvillo del dolor en los ojos de Camila la depredada dada. La forma del zapato es la fórmula de la voluntad del pie, la pura fórmula, porque el pie, es decir el caminante, nunca se ha manifestado a plenitud. Cada zapato esconde la voluntad y los olores. Odor. ¿El zapato muestra o esconde la verdadera esencia del pie? Odor.

Tal vez una antigua zarpa hundió en este piso su resequedad. Quién sabe qué clase de catafalco espera allá afuera.

Los ojos van por el camino de la duela, sosteniéndose en cada bifurcación, en cada mínima astilla, lenta, vorazmente ávidos de la iluminación de la vista, para que confluyan ahí los misterios del tiempo. Desde la duela rechinan las plantas de los zapatos como las astillas de una enorme sangre inconclusa. Los zapatos que solamente son los caminos de sí mismos, porque no van a ningún lado, sólo ahí, estáticos, tiesos o congelados, trasudando sus mínimas personalidades, si acaso rozándose con el otro. Ahí termina el reino de los vacunos, en unos pies deliberadamente rígidos. Y los ojos de Camila la ensoberbecida rodando su espectro entre las mitades de las suelas y las últimas ampollas del maderámen. Así, silenciosa hasta la base del féretro, hasta la base, encuadrando, desenfocando la parafernalia de los lejanos sollozos, abajo de los alebrijes tan descoloridos, abajo de la sombra pesando su descomposición. ¿Hacia dónde, Camila la inusitada?

Almácigas, ágatas, humores.

Mientras los ojos revisan con detenimiento las bases circulares de un aluminio vetusto, una oleada invisible, como de legúminas, desciende de aquel desolado catafalco. Pero las bases del aluminio cilíndrico están estriadas, las ranuras llenas de moho, pátina de los cuerpos que por cientos o miles han resbalado ahí su determinación del último grito. Y a la mitad de los cilindros plateados, unos altorrelieves floreados y discretos marcando la mitad del itinerario entre el postrer dolor y la resequedad de la tierra. Melancolía del mundo, el azufre tiene orígenes aéreos. La base del féretro no está bien terminada, pues puede verse ahí la malagana de un empleado mal asalariado. Esa parte del cajón pronto cederá a la furia de los líquenes. Los gusanos limpian la inmundicia de la putrefacción; son pues para purificar al mundo. Bien pronto los gusanos derrumbarán esa base de polillas en erupción. Casi casi se ven ya los mínimos recovecos. Y unas breves cortinillas, aunque afelpadas, acinturan el perímetro medio, justo en la vecindad de las argollas de quienes más tarde harán las sordas paladas de la tierra caliza. Los moños de mal gusto del renegrido color en las aspiraciones de la seda. ¿Seda bajo la tierra? ¿Qué herrumbres hará palpitar tamaña contradicción? La cabellera hirsuta pronto habrá de arremolinarse en ese territorio de las encrucijadas, cuando la pasión no sea ni el absoluto recuerdo, porque en la tierra de la muerte, abajo, no hay pasiones, todo es o se convierte en una mera condicionante para la adaptación, de lógica cósmica, de inteligencia sin voz, enmudecida por el rumor apagoso y húmedo de los gusanos. Ahí abajo el movimiento se reduce a la pestilencia pura, última, pero al mismo tiempo primigenia, es decir absolutamente inodora, no perceptible con las narices de afuera, a las que el oxígeno aplica siempre una mala jugada. Las narices de esos acantilados se esponjan como tubérculos. En esto andan los ojos de Camila la enseñoreada.

Un Cristo sobre una cruz engarrotado haciendo el reloj de las cuatro manecillas. Un Cristo coronando con su mirada indefinida la tapa de un cristal de mínimas empañaciones. El tiempo se bifurca cuando se hace así de rectangular. Ahí los ojos de Camila la rescatada, la infame, presenciando por los entreveros de la oscuridad un cadáver amortajado y triste, ah, bajo las sábanas mortuorias el cadáver avergonzado, el cuerpo oscuro de quien fuera alguien, solamente alguien resoplando sus dudas a la hora de levantarse, desmontar del potro de la tortura para enjaezar al unicornio ciego, alguien ojos de sepia, de polen sepia, las pestañas heladas encajándose ahora graciosamente en los retenes del ojo del pez muerto, rígido como la luna en los mandobles de una madrugada de diciembre. Las gotas resecas de sangre blanca, uf, cómo pareciera bufar la melancolía entre los poros, los ojos abombados del pez muerto, muerto, muerto, sí, sí, los meros ojos de Camila la solicitada casi sumergidos en las profundas señales de la piel facial, la piel cubierta de una insólita y pequeñísima capa

14

vidriada. Los dientes se aflojan, se destiemplan, se desprenden desde los huecos de las mandíbulas. ¿Cuál es la función de los dientes muertos? Muertos, muertos, muertos. El escorbuto o algo así se cuela incisivamente con su voluntad de sal, de sal dura entre los resquicios dentales, y las piezas sufren breves sacudimientos, muy breves cada vez, hasta que la dentalidad cede a su condición y entonces es una boca fofa mascullando salivazos y palabras desconocidas. Los ojos de Camila la silenciada sobre el nadir de las arrugas de la cara que ya se fue. Pulsar. Los ojos supervisando cuán pequeña y mortal puede resultar la ponzoña que pone sus huevecillos entre los poros y una milimétrica vellosidad. Es que los vellos crecen ahora también hacia adentro de la grasa resquebrajada en medio de la quietísima viscosidad, como un acto de última inmolación. Todos acabamos optando por la autoinmolación. Los dientes flojos como risa insignificante, absurda, ridícula, los dientes flojos entre la sangre podrida, hurgando palatal el ojo avisora postemillas en un viejo incisivo, justo abajo del carrillo endurecido. Resopla un viento de flores agrias cuando el ojo llega hasta la mera superficie epidérmica, y ya no hay ahí tersuras entre los espectros de la luz, sino que parecieran olvidados parajes toltecas entre tanta porosidad. No, no hay tersura en la plena cercanía de las superficies, no la hay. Fijándose mejor el foco ocular, Camila la licenciada, unas briznas de polvo se debaten entre las delgadísimas películas de barros agrisados. Los restos del sistema circulatorio se resbalan en la punta de la nariz. El ojo muy cerca y la pestilencia intraferetral hostiga cualquier intromisión. Cómo zumba sus chispas negras la cecina morada abajo de sus charreteras. Cómo inmoviliza el helado tufo de esos negros interiores. Aprisionando el lumbago, la pólvora detona su pellizco carcomedor. Pensar que esos ojos, cuando lo fueron, atestiguaron lluvias de frutas amarillas y la columna vertebral cede hasta derrumbarse. Hasta allá van los ojos de Camila la protospectiva, hasta lo profundo de esas oscuridades, hasta llegar a los flácidos melindres de la pinga pellejosa y azulenca. Ah, la delicia de estar en el ataúd, el nicho definitivo para mostrarnos la verdadera faz de nuestro cuerpo.

Alguien desde adentro:

—Las hormigas blancas, zanconas. Me picaron las hormigas.

La pinga inicia un imperceptible estremecimiento. El ojo humilloso se ha introducido a la primera catacumba. Cosa rara, no hay aumento de presión.

—Las caderas están llenas de callosidades. Qué submundo tan absurdo, tan procaz.
Qué triste relicario soy.

Él era el ojo del agua, la primera brizna del silencio.¡Rubina!

La mera descripción es un suceso, o puede ser un suceso, es decir cuando los cuerpos no están en movimiento (aparente), así que el ojo o los ojos de Camila la odiséica pudieron haberse apercibido de un cuello bajo arrugas nefastas, bajo bocios candentes y apelicanados. Era más el deseo que la carne y el pecho y el abdómen naufragados en el intenso mar de las venas. Uno pudiera pensar en esos valles como en el simple espíritu de una telaraña.

El bajo vientre no cuenta, porque no puede captarse; sobre él, la inminencia del plexo solar, solar. El tronco, piensa uno entonces, es el puro envoltorio de algo. La apatía enseñorea los canales casi totalmente tapados de esa interioridad, desde donde no se percibe el ojo de Camila la hinojosa. Una mínima pelusilla verdosa se abre paso entre la grasa que ya se seca definitivamente. Tal vez un borbotón de oxidasa es lo que no ha permitido el resquebrajamiento de la próstata. El prepucio es un dragón olvidado, mustio.

—¡Rubina! —sonido muy sordo, tanto, que sólo produce un leve movimiento; y no se percibe.

—¡Rubina! —otra vez.

Y luego un ligero retumbo desde más adentro. Los jugos pancreáticos mascilentos y una flor de calcio se desmaya y se desencaja entre las pulpas del carbono. Adentro no hay ideales.

La cabeza, el tronco, las extremidades, lo que no es, lo contingente, se va como vino, envuelto en una burbuja salada. Afuera no hay ideales.

Tal vez pudiera escucharse muy atentamente:

— ggggggggggggggggggggggggggggg ...

y luego nada, durante un rato. Pudiera ser que lo único claro ahora son las similitudes, por eso podríamos comparar esta semimaceración con una vieja villa olvidada, en donde los habitantes mismos hubieran podido perder la memoria, sin saber para qué es nada, ni el tiempo pasando por encima de las cabezas. Una almáciga en potencia, simplemente, justo a la mitad de las cosas, de todos, entre la nada y el algo. Acuciosas atalayas pudieran mugir tal vez ante la inminencia de algún indicio.

La piel es una caperuza para cubrir el miedo. Bajo la piel, los huesos. Los ojos de Camila la diseminada decidieron con toda probabilidad no ir al cerebro, tal vez por el temor de no ver imagen alguna en la base de los sesos. Las dendritas, otrora árboles o estrellas, se enmarañan entre la risueña legión de las pústulas. Alguien había dicho hormigas blancas, zanconas, pero no, no son hormigas, son los primeros gusanos.

—Una Voz (obviamente a partir de fonemas absolutamente cavernosos, patibularios casi, muy rasposos y gravísimos):

—¿ Y qué, de tus limosnas?

—Otra Voz (mismas características, sólo cambia la gravedad, que en ésta es muy aguda y hasta chillona):

—Bah, hurgar en las piltrafas...
las manos están tiesas, todas están tiesas...

Pausa.

La pausa es para algún ejercicio fantasioso. Imaginar la proveniencia de estas voces, la proveniencia física: cabezas rapadas, achatadas o boludas, llenas de gránulos que han despojado de su sitio a manojos tiesos de pelirrojería piojenta escabulléndose en tonos ocres opacos. Bocas perfectamente desdentadas. Faces desnasadas, probablemente producto de algún súbito mazazo. El dolor y el lagañerío no dejan ver unos ojillcs zarcos y burlones.
¿En dónde están los ojos de Camila la ensoñada?
Termina la pausa y volvemos al apagón, a la concupiscencia.

La Voz:
— Una vez vi a una mujer, o lo que parecía una mujer.
Solamente la vi. No sé nada más, ni si era claro u oscuro

ese tiempo. La vi una vez, pasando. Un abrigo verde y la cabeza envuelta con trapos, al igual que los pies.

Otra Voz (o como el recuerdo de una voz):
          Ayer es igual a hoy. Hoy es ayer.

          Atreverse a mover el cuerpo
            aunque se reviente
            de dolores
            la garganta
            las ansias de la sangre inmóvil
            la arena tire sus chispasss
            avive la garganta
          y sentir su nudo

                    mover el cuerpo
               como levantándose
                    de cualquier desolación

          que vuelen los pájaros internos
          que la mole de fango
               sacuda ácidos nucléicos
          que se mueva el cuerpo
            y abra al viento
                    y a la luz
                    en dos

               para alcanzar
                    y tocarse
                    con el otro cuerpo...

Aquí se suspende todo asunto con tal de rozarse con la reflexión, es decir, otra pausa, hasta que se puedan escuchar lejanos rumores, como de campanas enardecidas por tanto

19

viento, como cencerros de hatos más allá de cualquier deso-
lación.

¿Sí podrán entrar los ojos tan adentro?

Regresa la Voz:
— Ese cuerpo no puede moverse porque nada lo hostiga
—como bufando dice, o parece que dice, ronca, muy ronca la
Voz.

La otra Voz:
— ¿Un cuerpo necesita ser hostigado para moverse?

La Voz:
— Solamente para alcanzar y rozarse con el otro cuerpo.

¿Vivimos para llenar el tiempo?
¿De verdad existen los colores?

Desde la parte superior del páncreas destilan unos ínfimos
hilos anaranjados, que van a encajarse en el socavón de algún
tubo digestivo, como si desde afuera, es decir, desde el cadáver propiamente dicho, pudieran los ojos de Camila la pre-
tendida sospechar que el cuerpo entero pugnara por reventar
los tablones laterales del féretro y salir, salir al dolor de afuera, al que permea por encima de aquellas filas de zapatos
hinchados por la madrugada. Salir de esta negrura que hinca
sus espolones en la panza del origen. Pero a ese cuerpo nada
lo hostiga. Los ojos adivinan entonces una mala jugada de la
ensoñación. Camila la adivinosa. ¿Cómo se acomodan los
ángeles en su útero? Tal vez igual que un cadáver pugnando
por salir: débiles y tensos a la vez, los ojos perfectamente
apretados, revoloteando entre los ágiles espasmos de un cáncer cediendo ya a los embates de la quimioterapia. O tal vez

el nacimiento de un ángel pudiera compararse con el salir a
la calle de un genio de la música enmedio de su sinfonía en
proceso.

La otra Voz:
    — Sí, posiblemente el
hostigamiento sea el deseo,
el deseo por la carne de aquel
cuerpo que lleva trapos en la
cabeza y los pies. El deseo de
rozar ese cuerpo.

La Voz:
    —Miseria, miseria, miseria.

La otra Voz:
    — ¡Rubina!
Sí, el cuerpo que parece
tumefacto logra finalmente
alzarse y caminar guiado por
el instinto del roce, caminar
como fogata adolorida
enmedio de la nieve que se
clava en la punta de los dedos
del pie.
¡Rubina!
Alcanzar aquel helado cuerpo
y casi confundirlo con el de
una anciana calva que intuye
frutas en el piso, que las intuye
digo, porque en verdad se trata
de diminutas calaveras,
calaveras llenas de tizne
desbaratándose entre sus

dedos engarfiados.
¡Rubina!

¡Rubina!
La anciana lleva ciruelas secas y
negras en los codos.

La Voz:
— Ah, Rubina, mis labios
partidos y resecos ponen su
beso duro en tu boca
tan sin dientes, tan oscura, al
tiempo que mis brazos palean
indecisos abajo de tus naguas
tiesas. Más de una vez he
confundido un apetitoso bocado
con un pedazo de mierda.
Cuchillo de lumbre,
qué arenosa tu piel, Rubina,
cuando mis uñas mugrientas
hurgan, hurgan, hurgan,
hurgan...

Repasar el rostro aquel con la lengua extendida, una lengua
prácticamente sin saliva, sin gargajos. Sentir cada escoria-
ción facial, cada purulencia. Sí, sí, la lengua alcanza a captar
un sabor agrio, pegajoso, como de naranja centenaria. Un
rostro oscuro y la lengua resopla como la hoz cuando se topa
con la viscosidad de un soquete furioso que se entremete en
un enorme grano crateroso. Rostro sin tiempo, carne de arena,
repasar con la lengua, repasar con lengua rasposa y seca los
granos reventados del cuello, un cuello rugoso y gris, bom-
bacho en partes debido quizá a golpes antiguos. Cuello de
buey lacerado por lodozos barzones. ¡Cómo fluyen los besos

atropellados ante la ausencia de las salivaciones! Todo mengua/el vientre/la potencia. Ahí el ojo de Camila es un anacoreta interior, vestal perdida, alucinada ante la hojarasca prostática. Besar el cuello de esa mujer y como meterse a un socavón inconsistente. Poner las encías verdosas, hincarlas hasta obtener un leve bocado de mugre seca.

La Voz:
—Mujer desdentada, mujer de
los ojos aplastados por una
catarata aceda, como si la luz
fuese un gran gargajo constante.
Mujer nariz de águila implume.
Mujer lunares amasijados por
la empavorecida
miseria de las calles.

La otra Voz:
—¡Rubina!

No el pan de la luna
sino la misteriosa sangre
suspensa entre tus ojeras
y tus granos escoriados.
No el pan de la luna
sino el asombroso crujir de tus
viejas enaguas, el seco perfume
de tu entrepierna la sal de tus
pezones la sal de tu carne la sal
de tus dedos, el agua de tus
viejas heridas.
No el pan de la luna.
Tu boca truena
    al beso

tu boca celosía
que besa sin besar,
mujer cabellera invisible
invencible
mujer sin nariz
de extraño golpe,
faro de multitudes mendicantes
faro
nunca mujer mar
faro
mujer saliendo de la tierra
tiniebla en el paladar.

no el pan de la luna.

Tus viejas llagas amoratadas
mujer-anciana
en eterna depilación.

No el pan de la luna.
No. No.

Frente al peltre despostillado acuclillarse en la última esquina, mucho más allá de los perros en agonía. Los perros pardos, chimuelos. Un bocado semisólido y frío tiembla entre las negruscas manos y se escurre, o parece escurrir, entonces baboso por perdidas comisuras. Un trago grueso y rápido para confundirse con un gran amasijo de mocos aguardando en la cima de la garganta. La masticación desinhibida por entre los olanes ruidosos de los labios. Qué besos aguardan esos labios, qué motín de eructos desinflados. El bolo alimenticio paseando escupitajamente entre la puntiaguda cordillera de las encías. Camila la desinfectada.
En el ejercicio de esta imaginación.

¿Acaso es posible acercarse tanto? ¿Es posible una cara así?

Tomar entre las manos una cara enlamada, pero muy seca, insisto: granos verdosos coronados por un largo pelo negro y muy grueso. El aliento parece venir desde su ano, como arrastrado por arroyos de hierba de gordolobo. Ah, disparar un beso-ventosa por sus carrillos de cartón y degustar una por una sus grandes y boludas lagañas. Su cara dolorosa coronada por una corona de trapos.

(Un corte aquí, para mirar la escena por un lado.)

— Mis manos venosas.
— Tus manos venosas —voz que ronca.
— Tu calavera bajo el yugo de mis manos.
— Mi calavera —voz que rebota entre sus
   pantanosas encías.
— Mi beso en la punta de tus mocos.
— Mis mocos agrietados.
— Hay pus entre tu nariz y tus labios; hay pus morada.
— Mi pus, mi pus entre tus labios y yo, mi pus que marca
   la dirección entre la tierra y el cielo. —bueno, en
   esos cielos interiores, en esas tierras
   cavernosas

(No, las respuestas las digo yo mismo, porque de su boca solamente brota la neblina de su dolor inconsciente.)

¡Rubina!

Silencio.

Todo mengua/El vientre/La potencia/La sangre. Y asegurarse de que la luz nos llegue en delgadísimos destellos, pues

25

hay que tenerla de frente, como si fuera lo que es, algo físico
y por lo tanto tangible. La luz que se frena. Él sabía que
aquella mujer era un espectro olvidado, una parte de aquel
paisaje. La ciudad no podía ser así, no, no un ente en tales
circunstancias, sino más bien una dulce madona del siglo
quince, carnosa y de extraviados ojos en la armonía, que tal
vez tuvo un sueño y se quedó inmersa en él, flotando, suspendida, más allá de la vida y la muerte. Sí, sí, eso es lo que se
ve y no la vieja de las piltrafas. Ese cuerpo tenía esa hostiga-
ción. Camila la desencantada, la desencajada.

Miren bien, que ya me desplazo entre la oscuridad de aquellas
olvidadas recámaras. Los isopos son radioactivos en este hervidero de malaprovechadas sustancias. La voz ¡*Rubina!* pierde su
intensidad y su eco. Tal pareciera que no existe más esa voz
agusanada rubina Aquí no hay razón. No. Sin embargo ahí está
la Voz y la Otra Voz y las otras voces. Ahí han estado. Es
solamente el ojo desmemoriado de Camila que pasa. Ah, Camila
la desmemoriada. Y por andar encontrando historias de piltrafas, Camila no vio los mil ojos acechando, dificultosamente
tratando de reventar las paredes y hacerse presentes, los ojos de
la sangre inminente, perlas negras pugnando contra la negritud.

El potasio persiste, pese a la gradual descalcificación. Se
está aquí tan lejos de la música, pero es igual. Figúrense la
máxima-disminución y la luz entreverada. Las vísceras parecieran inmóviles, pero no, no hay tal, el movimiento es más
profundo, por eso no se puede percibir desde la altura, desde
ninguna altura, desde ninguna otra observación. Es necesario
estar ahí, prácticamente encaramado. Si pudiera decir que me
desplazo en la hojarasca...

No hay tal apretujamiento. El espacio y la consistencia son
suficientes para hacer la ruta.

El eco visual, desde arriba/desde abajo, sonidos.

Aquí no existen ni las condenaciones ni los triunfos, todo
es entrar como lo hace Camila la intrínseca, Camila la desa-

liviada, integrarse a esa especie de sonar, que no es otra cosa que la energía descansando en la materia, como en un éxtasis. No hay divisiones categóricas, todo se constituye en una gran espiroqueta, la espiroqueta de las fiebres recurrentes.

Un glóbulo tirita y hasta ahí el ojo: nosotros estamos acostumbrados, no tiene ni vuelta de hoja, a que un joven, tal vez hermoso y fanfarrón, siempre ingenuo, haciéndose el que no sabe, se deje invitar por una mujer viejona, que se siente en el más cómodo sillón y deguste muy despacio su propia sonrisa y la de la viejona y un buen burdeos; y que luego ella diga con cara mustia que ahora viene, que regreso luego de ponerme algo más cómodo, porque el vestido que llevo, por tan nuevo, necesita algunos desajustes, ¿desajustes?, ahora vuelvo. Bien, muy requetebién, vientos huracanados, porque él mientras tanto hará un rápido visual repaso de la estancia. Tiene buen gusto, la vieja, algo recargadón, pero buen gusto barroco, es decir cosas caras. El miedo a la soledad: estatuillas de sus viajes por Europa y África, relojitos de Nepal, carteles del Louvre y de Sevilla, gorritos de Moscú, etcétera. ¿Quién es el güey de la foto? Cosas caras. Buen vino este burdeos, muy bueno. Casi a la superficie del muchacho, un breve temblor causado por miedos desconocidos. Y luego ella tres pasos antes de reaparecer reajustándose el escote para que reluzcan las turgencias medio arrugadas de sus senos y la vaporosidad de las caderas huesudas y las arruguillas esas que desde tiempo se instalaron en la parte superior de las rodillas, cielos, que no me vaya a notar mi vientre fofo y venosísimo, que la entrepierna apenas se sospeche y luego entrar preguntando sobre la conveniencia de hablarse de *tú* o de *usted*, y que depende, ¿de qué?, pues que el respeto nada tiene qué ver a fin de cuentas con los formulismos de la lengua. ¿Los formulismos de la lengua?, no, qué esperanzas, yo siempre he sido muy directa, vieja loca, alude a las fórmulas a partir de las fórmulas. Ella se ha puesto una tanguita azul, la que me compré en Marruecos.

No estamos acostumbrados, en cambio, al asunto opuesto, es decir a que una muchacha hermosa esté de visita en la refinada estancia de un viejo raboverde, casi siempre son feas, que le suplique ponerse muy cómoda, lo que ella ciertamente agradecerá, pero en cambio no aceptará licor alguno, típico, más bien un vaso de agua por favor, ¿por la dieta?, no, si no estoy a dieta, solamente que con el vino me mareo, me obnubilo, suelo desencajarme, pierdo oxigenación, usted hágalo, con toda confianza, al cabo que soy open mind, ¿y eso es bueno o es malo?, vuelvo enseguida, siéntase como en su casa señorita ¿señorita? quién sabe, esta lo que quiere es que me le rinda, que me pase de obsequioso pero ni madres, la que se tiene que rendir es ella, de hecho lo está, si no, ¿por qué aceptó venir? y nada de que se sorprendiera de que fuéramos sólo los dos a la reunión, ¿y los demás invitados? no tardan, mis amigos son así, impredecibles, pero no se preocupe, siempre vienen y además yo soy un tipo incapaz de faltas, de traiciones a la confianza y esas cosas, yo he sido, en cambio, muy directo, sanote, claridoso, como se dice, pero enseguida vuelvo, voy a buscar algo de música, muchacha fanfarrona, ingenua, que estoy seguro le encantará. Uf, sí, qué va, ya me imagino, minués o algo por el estilo, su musculatura no da para más, je, je, pero lo que me gusta es ese tono de su austeridad, sus libros anchos y bien tratados, la madera cuidadosamente selecta, sus viajes de que me habla, tan de marino siglo diecinueve, de joven ha de haber sido hasta guapo, mundano, y la luz esa que llega desde la calle, cómo se cuela dorada hasta la mullida alfombra. Casi a la superficie de la muchacha, un breve temblor causado por miedos desconocidos. Y el vejestorio aquel, el último de los donjuanes, detenido tres pasos antes de la estancia, sin música, sin ropa, a no ser pantuflas y bata negras inglesas y una rica seda guinda al cuello, intentando una flácida masturbación, que no se consigue, por supuesto, ya que el peso del Rolex es mucho más contundente.

Desde el cartucho del glóbulo que tirita el ojo de Camila la redomada.

¿Por qué nunca coinciden las historias?

Los orines que nunca saldrán de la uretra sirven para proteger a esa flora de féculas ponzoñosas. Son como diminutos mares de vidrio, filosos y ambarinos. Aguas con sus máscaras de olvido.

Así como podemos con cierta facilidad elevarnos imaginariamente y observarnos desde arriba, como subiendo por los pisos del aire, así también podemos con cierta facilidad recorrer en el sentido inverso, es decir hacia adentro, a lo profundo. Yo creo que las posibilidades de la visión son infinitas, incluso si lo hacemos en cortes longitudinales. Como el aire tiene niveles, también la sangre. La uretra está detenida con sus coágulos vidriados o carbonizados. Tal vez un gran fuelle pudiera remover estos escombros. ¿Por qué se detiene la sangre?

Algo como navajas brilla en la oscuridad.

Tal vez éste es el origen del hambre.

Aquí coinciden, en estos sórdidos gabinetes, el hidrógeno y los jugos gástricos. La lumbre.

... y primeramente un sonido seco, como de tiempo detenido, seco, y desde lo inaudible un viento arenisco. El páncreas está repleto de sosa cáustica, amarilla. Es una fuente de pus. Y desde lo inaudible,

OVERTURE

Dos fervores: El amor mundano y el amor divino.

Camaxtli es el poeta, el músico, el soldado, el Caballero Tigre, el sumo esforzado y necesariamente solitario, el fiel.

Centéotl es la princesa, hija de Señor, la purificada, la luminosa carne, la quieta, la suspendida, la fiel.

Todas las mañanas, poco antes del sol, Centéotl se iba al campo abierto a buscar flores amarillas, sola. Recogía cuantas flores cabían en su huipil, es decir, miles, pues su esfuerzo era incontenible. Cuando el sol era ya una brasa, poco antes del cénit, Centéotl estaba llegando al lago de los caracoles. Centéotl tenía los ojos muy negros. Centéotl se hinca en la orilla del lago de los caracoles y deja caer, derramarse, una murmurosa cascada de flores amarillas. Pensemos en sonidos similares a los producidos en el fondo del mar. Así esta catarata de flores amarillas, evento que consumía cercanas las tres horas, hasta que, sudorosa y en pleno arrobamiento, la muchacha comenzaba a murmurar viejas canciones, las que hacía muchas generaciones habían venido a enseñarles los señores negros de las montañas. La superficie del lago de los caracoles, amarilla, absolutamente granulada de flores amarillas. Entonces era que la princesa se despojaba de sus mantos para penetrar silenciosamente en el gran pétalo del agua. Sin el mínimo chasquido. Por la cabeza le volaba un puño de pájaros azules, verdes, blancos, amarillos, ámbar, rojos, negros, violetas, bugambilias. Centéotl pelo de pájaros. Ésta era una diaria coronación. El viento, el agua, la carne. Y todo en silencio, todo. Los ojos de Centéotl, al rojo negro; su boca, una mueca dolorosa. El casi imperceptible oleaje florido, provocado por el lento andar de la princesa en el agua, semejaba una cintilación lunar. Era el vientre de Centéotl que se removía. Era el corazón de Centéotl, palpitando. Entonces, llegado desde alguna lejanía, un quetzal, el rey-pájaro, desgarrando el canto de la triunfalidad. El centro del lago de los caracoles y Centéotl daba la media vuelta para regresar a la orilla muy lenta y despojarse de los pájaros y del agua. Y mientras se encasquetaba muy contenta su huipil, el lago de los caracoles era una gran charca de sangre. Éstas eran sus cotidianas peregrinaciones.

Camaxtli también tenía los ojos negros. Cuando no era tiempo de guerra pasaba horas y días en el templo, mortificándose, punzándose el cuerpo con puntas de maguey. Camaxtli era un guerrero asceta, destinado a sacrificios supremos. Camaxtli el príncipe de los infinitos muslos. Pero últimamente una sensación de fatalidad le ascendía desde el plexo solar, un murmullo de teponaxtles. Y el Caballero Tigre pensó en ir al campo, a correr como despavorido a reventarse y dejar salir esa dolorosa sensación como de muerte que le invadía desde las entrañas hasta la punta de los ojos.

El Caballero Tigre ojos enlagrimados corriendo rabiosamente entre los terribles mares de las nopaleras. Así, hasta llegar exhausto a la falda de un monte. Camaxtli nunca supo que ése era el monte de la diosa del amor. Camaxtli reventado tragando briznas de tierra en la falda del monte. No lo supo, pero estaba transfigurado. Las rajuelas de la obsidiana centellaban rabiosamente. Era como si el Caballero Tigre naufragara en medio de un mar de luz embravecida. Su pectoral de oro y turquesa se estaba derritiendo. Así que, en el mero centro de su ensimismamiento, Camaxtli ojos negros emprende el camino de regreso.

Pero por supuesto que es el punto que todos estamos esperando: Camaxtli podía regresar por otro camino, sí, exacto, Centéotl y Camaxtli tenían que encontrarse, lo que sucede cuando el Caballero Tigre regresaba del monte de la diosa del amor y Centéotl del lago de los caracoles. Vemos a la mujer de la luminosa carne caminar casi de puntas, de tan delicada, todavía bajo los efectos del arrobamiento. Desde la lejanía, Camaxtli vio aquello como un resplandor entre rojo y amarillo, y su corazón latió con mucha fuerza. La sangre empezó a golpearle la garganta y corrió hacia la figuración. A pocos metros de Centéotl, el guerrero asceta se detuvo, convulsionado. No podía creerlo, no. Mujer en medio de enjambre.

Mujer tejida con aureolas. ¿Es una diosa acaso? ¿Acaso es una diosa extraviada de su camino? La luz lleva a esa figuración en andas. La lleva en andas tal vez para que encuentre el camino olvidado, el camino extraviado. Tal vez así se ponen los dioses cuando se extravían, cuando pierden los caminos del cielo. Para eso sirve la luz, para conducir a los dioses. Los lleva en andas la luz. Centéotl centella silenciosa.

Y Camaxtli se despojó de sus cacles y de todos sus arreos hasta la desnudez y brilló como un tordo, como un tordo brilló Camaxtli y como esos pájaros negros comenzó a cantar, en intermitencias, como si el gran dios del hipo le urgiera desde la boca del estómago. Fue entonces que el asceta comenzó a mover sus brazos como si tuviera alas de verdad. Parecía un pájaro negro dando vueltas en la tierra. Centéotl agachó la cabeza, pero siguió caminando. Y ella sonrió con sonrisa de este pájaro no sabe volar. ¿Eres sólo una figuración? ¿Me atraes acaso para conducirme al barranco y ahí perderme yo y que tú sigas volando? Él da vueltas, grandes vueltas alrededor de ella. Desde arriba se mira como un espectro espiral, como esporas de fuego, como dos esporas que se rechazan y se atraen.

El guerrero se detiene sorpresivamente. ¡Dios! Allá voy con mi voluntad, con mi voluntad allá voy para sobrevolar la cabeza de ella. Y es entonces que vuela y que sigue cantando y brillando como un gran tordo musculoso. ¿Quién eres? ¿Acaso una diosa? O este hombre se ha transfigurado, o es que ya lo miro así desde mi corazón. Centéotl agua de flores, corazón de flores, de agua... Así comenzó aquel amor.

Camaxtli había faltado a sus juramentos de asceta, así que fue llamado por el sumo sacerdote y Centéotl fue recluída en la más oscura habitación de su palacio. El sumo sacerdote ordenó al joven guerrero severísimos actos de contrición a fin de que tal vez, en consecuencia, fuera perdonado. La doncella cayó en un profundo desmayo, obviamente. Y comenzó a secarse, comenzó a secarse como una mazorca y ni las lágrimas de su madre pudieron devolver la humedad a la antigua carne luminosa.

Mientras tanto, el sumo sacerdote ordena a Camaxtli volver, otorgándole permiso de visitar a la doncella que se secaba sin remedio. Tal vez el sumo sacerdote se compadeció y por eso dio su venia al asceta que había faltado a sus juramentos. Era elegir entre el espíritu del dios o el espíritu de tu carne, el ritmo de tu carne, el ritmo de tu sangre, Centéotl, Centéotl ojos de zenzontle, mi doncella vientre de maíz, de maíz el vientre entramado, Centéotl cempasúchil, Centéotl cempasúchil, murmullo de jaguar, de jaguar hembra, no te vayas al último barranco ni al chillido de las últimas aguas. Ésta es la penitencia por no haber servido como debe ser al dios que me hube consagrado. Cometimos una falta y estamos en el lugar donde se arde, donde se chamuscan las personas que no miraron bien el camino por donde iban. No te seques, mi niña, con mis lágrimas te estiraré al cielo como una mata. La niña de los hondos pensamientos ya se murió, ya se murió, ya se fue al último lugar donde se arde, donde chillan las últimas aguas, donde se chamuscan los pellejos y los huesos de los que no supieron andar como es debido.

Justo en el último suspiro, Camaxtli, príncipe o guerrero o asceta o tordo musculoso, ¿era verdad que volabas aquella vez? ¿acaso eran los ojos de mi corazón los que veían tus hermosas alas prietas? tus hermosas alas de pájaro tordo. Justo en el último suspiro llegó un mensajero del sumo sacerdote. El mensajero lleva un documento otorgando el perdón a Camaxtli, una dispensa que le solicita hacer nupcias con Centéotl, la doncella de los ojos negros y la carne luminosa.

Esta es la historia. Y tal vez la historia merece un poco de música, con la siguiente dotación:

33

cuerdas	*alientos*	*percusiones*
Violines sopranos	Oboe contralto	Timbales
Violas contraltos	Fagote tenor	
Cellos tenores	Corno bajo	

Compás: 4/4

Comienzan alientos en Andante Maestoso ejecutando el tema central, el Leit Motiv. Vemos a Centéotl caminando en el campo matinal y luego recogiendo cempasúchiles.

Conforme Centéotl se acerca al lago de los caracoles, desarrollando el Leit Motiv, entran las cuerdas, también en Andante Maestoso. Desde luego que los alientos permanecen como iniciaron. Centéotl llena ya su vientre de flores.

Al llegar a la orilla del lago de los caracoles, comienzan a ganar terreno los alientos con un soporte más intenso, en Molto Vivace, es decir cuando Camaxtli mira cómo su pectoral de oro y turquesa se derrite y emprende el camino hacia aquella carne luminosa. Entonces, a un fuerte y sorpresivo arribo de metales, cambiamos de plano, justo cuando la princesa de los ojos negros hace su internamiento en el lago, la cabeza coronada de los pájaros de todos los colores. Al igual que los metales, aparecen las percusiones en Mezzo Forte, como si pareciera aquel pasaje una batalla armónica y melódica, como entre viento y sangre. De cualquier forma podemos advertir un ambiente de tensión, obvio. En fin, que deben mirarse estas escenas desde varios ángulos, o sea Camaxtli ensimismado y Centéotl con el agua florida hasta el cuello, justo en medio del lago de los caracoles. El Leit Motiv se desvanece y nos quedamos en el mero desarrollo. Toda la dotación en pleno.

En seguida las cuerdas completan el desarrollo temático y, pocos tiempos después, se reintegran los alientos, Piano.

Aquí debemos introducirnos en una simultaneidad de planos, es decir que vemos cómo Camaxtli danza alrededor de Centéotl, luego cómo fue que llegaron al primer recoveco escarpado y se amaron por primera vez, y cuando él le regaló un huevecillo justo en los momentos que el pollo comenzaba a salir, y cuando ambos entrelazaron sus cabelleras llenas de agua, para luego regresar a una visión lacustre, justo cuando las aguas se transformaban en cempasúchiles y luego en sangre movediza, la cara de Camaxtli transfigurándose de Tigre a Serpiente, a Caballero Serpiente, y luego de cuerpo entero Centéotl convirtiéndose en un gran pájaro de sangre. Los violines ensayan un enfrentamiento con los alientos hasta llegar a algo similar a un sobresalto, y entonces un Pianissimo. Esta suerte de diálogo se acentúa, se intensifica hasta alcanzar un Ritardando a Tempo. Pareciera una conspiración. Caben aquí también imágenes, en primer plano, de cempasúchiles del amarillo al rojo al azul al blanco al violeta al negro al azul al amarillo al rojo. Leit Motiv y otra vez desarrollo. Pareciera un enfrentamiento, tesis y antítesis, dialéctica, supuesto que las imágenes van de mayor a menor hasta tener super acercamientos. Creccendo y Diminuendo Constante hasta un nuevo estado de calma aparente, es decir, intenso o virtual, pero lo calmo hasta una nueva tensión en Andante Moderato, tanto de cuerdas como de alientos, que es cuando Camaxtli comparece ante el sumo sacerdote. La pasión termina para dar paso a otra suerte de apasionamiento, quiero decir que se interponen a estas imágenes de Centéotl en su lecho de purgación. Los colores entonces se vuelven pálidos, sumamente pálidos, al tiempo que las imágenes vuelven a aparecer grandes y abiertas. Luego, la visión de un relámpago atravesando el cielo nocturno y, antes de consumarse, se congela la imagen.

Con la imagen del relámpago, cuerdas, alientos y percusiones, estalla un Mezzo Forte hasta un Fortissimo Retenuto, como el punto de unión de todos los lados. Camaxtli llega a las habitaciones de Centéotl, pero ella ya se está secando.

Una mazorca en primer plano, estallando sus gránulos enmedio de un Fortissimo y Creccendo muy sublime, como el último canto del quetzal, dios-pájaro.

Finalmente, el lago enrojecido de los caracoles con el dios-pájaro que flota. El Leit Motiv en Andante Maestoso, cuerdas, violines.

El cristal frío
frente a mis ojos

Las imágenes, al igual que los sonidos, se difuminan de manera desordenada. Peces verdes, húmedos, muertos sobre una gran colcha de musgos y alumbre. Una salazón hasta que lo aéreo se solidifica. En esta galería Camila la desintoxicada todavía con la sensación de los cempasúchiles y la música. Camila pájaro de catacumba, Camila intimidad del hueso, Camila corazón del medio pan en este cielo inoculado de carne.

Campana de luz.

Entre las caderas y los hombros está la caja reveladora del viento, ahora olvidado: inspiraba, expiraba, una y otra vez, hasta completar millones. ¡Cuántas veces la caja del tórax fue el fuelle incansable! ¡Rotor de los vientos internos! Huracanes sin devastación. ¿Cuándo comenzó a ser gelatinoso esto? Entre los hombros y las caderas se anulan los horizontes del cuerpo...

Retropulsión
el viento vuela
hacia atrás

los ojos   giran
    sobre sus ejes
y se revientan
    los resortes   que sostienen
el ojo no es sin la luz
la luz no es sin el ojo
Retropulsión
el viento toma su sábana
                y se va
lo que queda es un lecho de sal que se quema y sufre resque-
brajaduras, lo que queda es un lecho de pájaros muertos,
muertos ojos rojos y fosas y picos que ya no pudieron sin
ventilación, los pájaros de sal
        El viento   no   vuelve   más
de lo salobre pajaril devienen las moscas, terrible contempla-
ción: La Mosca Es Más Ojo Que Alas
Que la música nos lleve a una reflexión:
    ¿A dónde puedo ir que vaya adelante de mí? Yo solamente
puedo estar en el lugar en el que estoy. A cada instante me
construyo y cargo mi costal de nueces, de plumas o de miseria.
    O:
    Yo soy el hijo de los pueblos del sol, ¿a dónde puedo
ir que vaya adelante de mí? y soy también perfectamente ca-
paz de meter mi mano en la charca y sentir en la palma todo
secreto, de principio a fin.

    O:
    Aquí el viento se retuerce con la sangre y la mastica-
ción, pero no todo se vuelve mierda Camila la desmierdada
dada sino que los rescoldos se ponen a circular tranquilamente
por todo el sistema. Es que nada es verdaderamente selectivo.
No toda la mierda sale por el recto. La mierda también es
cargamento, tal como la sangre incansable y el fuelle de pelle-

jos alveolar. Esto que se ve, desde la íntima visión, es una interminable fila de albóndigas pasando al borde del desfiladero.
Y:

En el planeta azul seguramente deben vivir los habitantes azules. ¿Qué es ser azul? Algo tendremos que ver con el cielo o con el mar. El reflejo luminoso también nos toca, nos roza, nos penetra. En nosotros pueden habitar, de alguna manera, el cielo y el mar, como una mera correspondencia de reflejos. Así que cualquier amplitud se acomoda a nuestra luz, nuestra luz azul, pues el cielo y el mar son azules porque los vemos. Nosotros vivimos en el planeta azul.

En Normandía tal vez esté por amanecer. En China los chinos están hablando chino. Unos marineros, ahora mismo, están cargando un barco portugués en alguno de los muelles de Nueva York. La fruta de Manila se consume en América, o quién sabe. A estas horas, probablemente, unos muchachos búlgaros planean un viaje por el mar. Entre los lejanos recuerdos de Alejandría dos viejos tejen unas sandalias y toman aguardiente. Un niño nace cada minuto, un viejo muere cada minuto. Un hospital de París. Cinco aviones ingleses sobrevuelan Bagdad ahora mismo. Los coreanos en Corea, los españoles en Madrid. Un dios tzeltal tuerce la boca de espanto.

¿En dónde estamos entre todos? Ahora mismo.

La luz puede penetrar hasta la mismísima médula de los huesos, de los huesos cósmicos. Y a cierta distancia de aquí un par de ojos enmedio de su propia neblina tienen gravada una visión que consta de pretéritas lluvias de flores amarillas sobre un lago de sangre. Ese cartucho jamás se disparó.

¿Quién dijo que las cosas tienen sentido? ¿Cuál es el rumbo de las cosas? Los servicios son múltiples, ya dijimos; y que todo consiste en que coincidan al menos un par de coincidencias. No es la mente que vuela desaforada, sino el mero seguimiento de cierta actividad corporal. El nido del desgobierno. Sí, señor.

Uno bien pudiera pensar que, un cuerpo, al descomponerse, se pierde. No hay tal. Ni cambia ni se regenera, permanece, siempre y para siempre permanece. Pero hay una segunda piel que nos abre la puerta a otros pasadizos. La estancia de lo inconmensurable, si se le pudiera llamar así, supuesto que un nivel nos conduce a otro nivel y da sus laberínticas vueltas hasta llegar a otro nivel y así sucesivamente, porque en cada punto de fuga se accede a una diferente combinación de recorridos y visiones. Es la verdadera urdimbre de masas y energías, el caleidoscopio de la carne. ¿Acaso las imágenes no son sucesos en sí mismos? Ah, Camila la investigada enmedio de la zozobra racional.

Una esponja está por sucumbir, tal vez se trata del páncreas. Los pasadizos dejan de ser secretos, dejan de serlo, porque el ojo disminuye y consecuentemente aumenta la capacidad de la visión, es más amplia. Los huecos se han desbordado, pero hasta allá retumban los chirridos de un sonido similar al de las canicas al rasparse fuertemente entre sí. Se escucha:

Canica 1:
— En el Finis Terrae todo
comienza otra vez.

Canica 2:
— Fue justo después del
segundo removimiento de la
tierra. Parecía que el féretro se
había despedazado por
completo. Un sordo zumbar y
luego algo así como un quejido,
lejano, lejano. Después, silencio.
Sssssssssss. Silencio —es
decir, pausa,
unos sesenta segundos, aprox.

El lodo caliginoso
pareciera descuajarse. Profunda
oscuridad,
deveras profunda.
Un suspiro contenido y ronco.
Otro suspiro

Canica 1:
— La madera cruje diferente
cuando está
podrida.

Rasgar bajo la segunda piel, en la semilla del caldo.

Canica 1:
— En el Finis Terrae todo
comienza otra vez...

En aquella profundidad de la tumba pancreática, el ojo
puede ver perfectamente un cuerpo semipodrido, al parecer
humano, moviendo ligeramente el esternón hacia su lado iz-
quierdo, lo que produce un desmoronamiento de lodo. Un
ronquido prácticamente inaudible, desde lo que fuera la garganta, regorgorea tal vez debido a unos, ¿a unos qué? coágulos
o amontonamiento de pellejos. El húmero derecho se desplaza
muy lento hacia el lado contrario, así que la caja toráxica sufre
serios estremecimientos y desde luego algunas pérdidas. La
carne está entre blancuzca y amarillenta y, en algunas partes,
sobre todo en las piernas (en lo que parecen las piernas dos trancas
desvencijadas o ramas de sarmiento), morada y azulosa.

Canica 2:
— Dentro del acorazado se
escucha como el ingurgitar de
dos pájaros desorbitados.

Otro retazo de cuerpo se
mueve en diagonal, en húmeda
diagonal. La cisterna se
revienta. Sí, el Finis Terrae, el
Finis Terrae...

Canica 1:
— Eructo agrio acompañado de
gargajos de lodo. El agusanamiento es evidente.

En una vieja tumba con dos apartamentos:
ambas humanidades se desplazan dificultosamente; buscan
un encuentro, eso es indudable; pero tal encuentro se produce
a pura base de convulsiones, lo que provoca, lógicamente,
una pérdida considerable de materia corporal en aquellas
oquedades. Eructos agrios y sus consecuentes escupitajos de
lodo. Las anémonas dormidas han encontrado la ruta. Si la
pólvora no detona, entonces inicia un camino en sentido
opuesto, es decir hacia la implosión. Finalmente, después de
tanto gasto, los dedos de uno de los dos palpan la calavera del
otro. Los restos musculares, como bufando, impulsan a las
falangetas a palpar el cráneo del otro (o de la otra) y producir
casi de inmediato diez gruesas horadaciones. Pero también
esos dedos, al efectuar tal operación, se destrozan, se desmo-
ronan. Las cavidades oculares semejan (o son) nueces secas.
Lenguas de algodón, anémonas dormidas, trapisonda moliní,
calatrava, el olvido tiene sus propias reglas.
    Cuerpos atenazados, revueltos ya, más que juntos, verda-
deramente unidos. Sus lenguas de mandioca, jabones de luz
en el acorazado. Moles de barro ambas corporeidades, en partes húmedas, en partes absolutamente secas. Lodo y líquen,
lo que puede ser el pene parece introducirse en lo que puede
ser la vagina, quién sabe, pero al entrar se destroza, se des-
morona, así que en lugar de entrar parece que sale. Unas pe-

41

queñas burbujosidades se inflan con dificultad. Los cuerpos son un cuerpo, uno solo. El semen, como telaraña, se ha manifestado. Ya no hay forma, es la pura confusión, pero se entiende, porque el ojo de Camila la desagusanada descubre un pequeño y oscuro óvulo fecundado.

Instantes después, como un cambio de piel, ya abajo de la segunda piel, incide la desintegración. Los esqueletos ya no son esqueletos, sino que polvo verdadero, puro discurso subterráneo, fantasmas de cal. El óvulo fecundado se retuerce en su nicho con asombrosa rapidez y, obvio, revienta, se desparrama como si fuera semen vivo. Cuando ha crecido lo suficiente, es decir al tamaño de un huevo de avestruz, inmovilidad y profundo silencio. Y ni rastros de dos lenguas exprimidas hasta la pus, o de las medias bolsas estomacales; nada, sólo silencio, inmovilidad y silencio. Luego, un cambio de luz, del negro al violeta, todo el espectro hasta un blanco agresivo, cegador, que rápidamente se difumina, dejando ver una pequeña caja de cristal y adentro un ángel pequeño, húmedo y gracioso, es decir, hermoso. Sus alas de gorrión recién nacido tiemblan brevemente con un vientecillo llegado de quién sabe donde. En la boca del angelito, una flor, una flor amarilla.

EL NACIMIENTO DE UN ÁNGEL

Así nacen los ángeles.

Un ángel sí se reconoce cuando se mira en el espejo, lo mismo sucede cuando se encuentra con otro ángel.

Estos camerinos también se multiplican cuando uno de ellos decide desconectar sus viejas luminosidades. Por cada uno que desaparece, devienen tres, por eso también hay que decirles *trinitarias*. Y algunas veces sucede que se revuelven los gabinetes y las historias se confunden. Algunas veces no se revuelven los gabinetes:

Un ángel es el resultado de una fornicación, o de un suspiro, pero tal vez no del destrozo de dos cadáveres, quién sabe, adentro es un avispero produciendo infinidad de resonancias. Veamos: durante alguna ceremonia nupcial, ambos cónyuges, perfectamente sonrosados y desde luego lúbricos, detienen la respiración. Esto es un ejemplo, pues bien, que la ilusionada novia transforma su rostro, de la ilusión al enojo, digamos, se incorpora y sale de la iglesia en medio del asombro de familiares y amigos, y por supuesto del novio. Pues que comienza a caminar para atrás hasta abandonar la iglesia y el barrio de la iglesia, siempre en el sentido inverso (secuencia invertida). Llega, o mejor dicho, regresa a su casa y así todos los acontecimientos hasta la primera cándida mirada en una calle equis. Todo preferible que caminar o avanzar hacia el futuro, en donde se miraría una anciana decadente, solitaria y mascullando los pellejos del miedo, gritando no sabría si de dolor o de ansiedad o de vacío o de molestia por causas indefinidas. Pero en todo ese itinerario, enmedio de la historia en el sentido inverso, el ojo de Camila la desdentada puede observar con toda claridad una cobra negra abriendo intermitentemente su capucha, su capucha del miedo, supuesto que la tal cobra no existe o tal vez sí existe, solamente que se trata de un acontecimiento en el paraje equivocado. La cobra plume. De cualquier manera lo que se ve es solamente una ilusión, tal como sucede con la velocidad o con la alegría. Las historias están interconectadas en la medida en que sus ductos respectivos lo están, exactamente como sucede allá afuera. Vemos lo que no es, somos lo que no se ve. Pura posibilidad. Así que Camila la desentendida aduce que se trata efectivamente de un juego de dados, es decir que el azar es el rey de los juegos. Ni razón ni emoción.

El conocimiento es un azar; la lengua, el amor, la sangre (sí señor), la armonía, etcétera.

Novia retrógrada ... ¿la novia estaba sola a la entrada de la iglesia?, ¿a la entrada de su sueño? En el álbum de bodas no hay consorte, aunque ella lleve en la cabeza un enorme nido de flores de naranjo. Esa cándida mujer zurciendo en alguna parte del tiempo las roturas de su vestido de novia. Esa muchacha intemporal ha desarrollado una fuerza enorme en sus dedos, hasta convertirlos en garfias.

Bien puede ser que esa novia arrepentida sea el angelito de la historia contigua. El vacío no es tal, siempre hay implosiones. Una historia nunca puede comenzar o terminar o andar una secuencia de tiempos mesiánicos, pues todo depende con qué pinzas andemos, es decir en cuál acontecimiento la abordamos y si queremos ir en una dirección o en otra. La historia es un títere de la voluntad voluntariosa. E historia es tiempo. Acaso los ángeles no son producto de alguna inaudita y severa fornicación. No hay caos entonces, todo es cosmos.

El Decálogo de Urte:

a. Es necesario comerse las semillas que nos dieron vida.

b. Habrá que dormir lo suficiente hasta tensionarnos de tan gordos, y reventar.

c. El filo del machete debe estar chato, mellado, pues muy filoso se contradice al entrar en contacto con el cuello.

ch. Deja vivir a los brutos, así sufrirán más (y tú también).

d. La soledad es una broca que taladra y destruye los músculos del espíritu, pero finalmente traspasa el cuerpo. Búscala.

e. Besar al amante con el espíritu de la sanguijuela, hasta dejarlo seco de sangre.

f. Detonar la centella frente a los ojos del otro.

g. La ciudad es la gran casa, por eso es necesario bardearla, amurallarla, cerrar puertas y ventanas, para que no entren los bandidos.

h. Los héroes no merecen la vida.

i. Sólo el asco ha de hacernos reaccionar.

Urte siempre fue así, incluso desde antes de haber querido salvar de su encierro a la hija del rey tullido. Otra historia que anda por ahí, complemento de la *trinitaria*.

La broca blanda urge su naturaleza y penetra girando con toda su brevedad, penetra girando hasta topar con la dureza cóxica y en quinientas chispas boludas, negras y blancas, buscando la lógica de la expansión. Las quinientas hojas de sangre anunciando las apariciones de los avatares.

> Camila ojos de hule
> astilla de sangres inconclusas.
> Camila hijastra de los médanos,
> brazos venosos
> sueños mostrencos.

Estamos en el coxis y, el ojo de Camila, como mano, expande su carne de carrizo y parece desbaratarse en el camino a la recopilación. Preguntar no es suceso, es mera desconfianza de sí, por eso la mano puede, con un puro movimiento, preguntar, solamente que es pura contingencia, pues no se da cuenta. Todo puede terminar en un simple juego de ronroneos. Claro, preguntar no es fácil, sobre todo si no elegimos la pieza adecuada, en otras palabras la duda adecuada, y por eso es que casi nunca hay una respuesta. (Adecuada.)

No es una historia, es un recorrido intermitente, así que de pronto podríamos indagar en una serie de horadaciones, las que tal vez son pústulas de aquellas bóvedas o gastritis, escapadas, ahuyentadas por ufanos torrentes de licor. Desde esta visión, las horadaciones bien que pudieran ser estrellas (las estrellas son horadaciones del cielo, en el más amplio sentido de la palabra). Refulgencias, cintilaciones, escurrimientos, adulteraciones de una pasión que reventara en el estómago o bien el cementerio de los cenobiales. Pero nada, finalmente pura mierda momificada. Cuando se cree que se ha encontrado el quid necesariamente es lo contrario. Mierda y toxinas en un revolvedero inusitado con un hueso sin punta.

El ojo de Camila la desorientada comienza a girar velozmente hasta producirse un mareo, hasta quedarse como brújula temblando de desorientación. Adentro de un cuerpo, verdaderamente adentro, no resultan las operaciones lógicas, ni las matemáticas o la física, ni mucho menos la anatomía; sólo vale la química, la química, porque ése es el conducto, el detonador de las dendritas. Todo es química.

Una estrella de mar, básicamente cristalizada, gira en elipsis alrededor de un corpúsculo que a lo mejor es el pabellón de una oreja. Tal vez algún sistema auditivo interno y muy profundo. Los taladros son siempre terribles y revuelven también todas las cosas. Desde la cordillera de ese pabellón la voz perdida de los niños, viejos cantos infantiles, muy viejos. El eco de esa inmemoriabilidad se trunca bruscamente, como hipo final. La estrella de mar va revestida de un color entre ocre y violeta, y como su tránsito es apenas perceptible, la ilusión óptica de Camila la ilusionada conserva esa acentuación como de marinería en el fondo de un abismo absoluto y oceánico. Jaaaaaa, las burbujas nunca terminan de reventar, como si se hubiera detenido su explosión o porque tal vez entablan una lucha feroz la explosión y la implosión. Y fijándose muy bien, pueden observarse, detrás de un mínimo pentágono verdoso, los tejidos entre líquidos y gelatinosos de la peritelia burbújica. La idea es la del plasma, por su constitución.

Ya dijimos que lo único fiable es la química, así que es necesario recordar (los recuerdos son química) que el conocimiento, como cualquier experiencia, se transmite por una cuantiosa multitud celular, a través de las dendritas, hasta fijarse en los recovecos neuronales. La pregunta es si toda percepción corporal, ingresando por cualquiera de los sentidos, llega íntegra a la respectiva neurona o, si por el contrario va desgajándose en su largo transitar, desmoronándose pues. Tal vez ser pendejo quiere decir tener una química insuficiente, irregular, porque los impulsos deben ser, naturalmente, enérgicos. Urte tenía razón, los héroes no merecen la vida. Una persona de ideas es alguien químicamente armónico.

Entonces no sería raro encontrar residuos de Platón desparramándose en la caja toráxica de este pobre cristiano que quién sabe quién sería. Su química no iba muy bien que digamos dado el caos que presenta, y eso que lleva poco de muerto: y los residuos platónicos se entrelazan con algún aforismo de Maeterlinck o de Brancus de Moldavia. Estas químicas neuronales se desencadenaron por todo el cuerpo. Ideas, imágenes, historias que inventaba el abuelo, hondas preocupaciones, todo, todo revuelto. Reino de la desmoronación Camila la desmoronada. Este tipo sí que es un caos. Pero, ¿y si el ojo de Camila la empobrecida no funciona bien desde un punto de vista estrictamente químico? Ah, Camila, hija del engaño, pero también cabe preguntarse si en una neurona químicamente sana, es decir con las ideas bien puestas, los conocimientos se apagan definitivamente (con la muerte, por ejemplo). ¿Cómo sería el conocimiento *seco*? Habría que introducirse en ese hipotético cadáver.

¿En dónde anida el odio?, ¿dónde la fealdad? ¿en qué protoplasmas se engendraron las ideas de dios? El ojo de Camila está cascado y ya un poco vidrioso. Qué inseguro es el camino, qué absurdos los pasos, pero aquí, en estas oquedades, tal vez unos personajes, simples imágenes, esperan, ad aeternam, a juzgar por el manifiesto cansancio de sus opacos ojos, esperando digo el regreso de unos familiares lejanos, probablemente ricos o tal vez de prosapia aristocrática, cuyo regreso se hubiera anunciado dos o tres siglos hace ya. Y estas imágenes acuclilladas y en los labios y desde dentro de las bocas sendas plastas de esperma muy espumoso y amarillento, como la leche tibia de las vacas, así con sus plasmas es-

47

permatozódicas semejando hocicos de cerdo. Son tres personajes, tres, trinitas enlazada por las manos haciendo un círculo perfecto, en donde retumba el ojo de Camila la olvidada, retumba y se raspa y se casca, pero no tanto como los ojos de estos tres, que se revientan, se deshacen y muestran un profundo oscuro y sin soportes. ¿Es que un cuerpo puede carecer de soportes internos? Sí, absolutamente sí; sin recuerdos siquiera, tan sólo de una espera del exterior, lejana la espera casi al punto del olvido, fuera de lógica temporal, con la química en pleno estado de desorganización. Pero de cualquier forma el gran globo ocular de Camila la desanunciada ha sufrido escoriaciones. La visión nunca es perfecta, de cualquier modo, y en su cristalino la imagen fija de esos espumarajos en forma de trompa de cochino. Sí, exacto: el anti-unicornio

AH, UNA FIESTA PARA LA LIBERACIÓN

Los niños cantando salmos, niños hermosos, sopranos, manitas rechonchas con pequeñas flautas transversales y breves cornos. Gorriones alucinados. Son aproximadamente diez. Se besan, se tocan, se lustran la piel con sus sabrosas lenguas coloradas y sopranos. Los niños, qué maravilla, alzan sus piernecitas como bufones paradisíacos y flotantes. Ojos de sangre, sangre para las libaciones posteriores. Las venas como hilillos azules dibujando las arboladuras del cuello, del cuello que brotan pelusitas a través de la nuca, justo bajo el breve nacimiento de los caireles posteriores. En el piso se alfombra una diseminación de hojitas de toronjil y la luz es el correcto trasfondo para que el tiempo no se detenga. Aquí reposan los ojos de Camila la diseminada, la química... y qué tal si en lugar de sombras flotando en el centro de la estancia un gran candelabro de carbones encendidos con funcionamiento centrífugo, a manera de asador. Ahí tocan y cantan y danzan y se lamen estos hermosos niños, hijos de quién sabe qué voluntad. Vayan ustedes a saber si acaso esos niños son las puras sombras o las ideas de algún gene sin diáspora de ninguna especie, como quien dice la estancia de la esencia, estar en el ser, solamente. Pero el atribulado ojo, a pesar de las terribles cascaciones, vislumbra con cierta claridad el sitio en donde truena el primer petardo, es decir cuando un niño cualquiera suelta su lengüetazo más allá de su primitiva intención epidérmica, sí, cuando la lengua ensaliva el muslo del compañero hasta traspasar el umbral de exitación del dolor. Saliva sin esclusa. Un alfiletazo y la cadena de cal se enciende como la pólvora, chispeando. Una hilera de bellotas retruena y saltan los primeros ojos. Desde las oscuras cuencas se anuncia la fatalidad. Un niño casi bebé rellena sus agujeros oculares con algunos trozos de bellotas, pero también inserta, como sin saber, pedazos de carbón prendido. Un niño desolado y rabioso que comienza a girar de una manera espeluznante hasta ser atraído por la centrífuga del carbonerío. Los niños chillan enloquecidos como ratas, mordiéndose, lacerándose, despellejándose. Qué de reventares puede ver el ojo de Camila la cascada. Las orgías que no llegan al dolor se pierden en la bruma. Y entre los chillidos agudísimos e infantilísimos pareciera renacer la música de las flautas. El imperio del fuego enseñorea sus gravitaciones.

¿Es lo anterior verdadero? Acaso se trate tan sólo de un metabolismo equivocado de algunos pensamientos. Éstos son los cortesanos de la química. Acaso lo anterior es o fue o será un oscuro reflejo (o demasiado luminoso) de la estirpe de Centéotl y Camaxtli. O un ligero recoveco de los esponsales entre la oropéndola y el zenzontle. Ah, la solemnidad de las promesas. Otra vez el cielo inoculado de carne, de llagas, que como falsos glifos muestran la interdisciplinareidad de las cosas. Nada es exacto, todo es pura posibilidad.

El silencio es la palabra verdadera
El verdadero pájaro es el quieto
el que se agazapa en la intimidad de volar
el pájaro profundo
el pájaro latente
el espíritu pájaro

El reino del cuerpo es la adarga achatada. ¿Cómo no imaginar el montón de talleres interiores? ¿Cómo no imaginar? Talleres hasta la inquisición, de lo terribles los profundos talleres del cuerpo, donde están solamente las argumentaciones, donde la serotonina es apenas el simple ojo del alfiler, ahí donde se dice incuba el súcubo. Templo sin hierofante. Cuerpo templo lápida de presantificaciones. Oh, el miedo del cuerpo, Camila lince para mirar los arcanos de la profunda sombra, de la profunda luz, el ojo del huracán, el puro trono del monarca.

Una hornacina de moscardones o de comejenes zumbando de tanta concentración. Es con seguridad el proceso de algo, la latencia de un no sé qué de misterioso pánico, como decapitar una rata y esperar pacientemente una respuesta. Tal vez el cerebro al punto de equis explosión con cierta cantidad de nubosidades flacas amarillosas o verdes, algo por el estilo. ¿Es verdad que el cerebro es el Sancta Sanctorum? ¿La Piedra Cava? Probablemente no, probablemente es la glándula del crecimiento y la devastación, es decir, la glándula del miedo, el origen convulso. Es que el cerebro es un simple cobayo, una simple loza de mayólica para jugar con las peonzas.

Las melopeas de los niños sacrificados aún se escuchan en los profundos rincones del hipotálamo.

El pájaro es menos pájaro cuando vuela
el vuelo pajárico es tan sólo una mera comprobación.

¿Es aquí el primer rellano? ¿Es aquí, tal vez, el último rellano? puede preguntarse Camila la baldía. Hozar en el centro de las vísceras o los sesos, ojo marrano Camila la descentrada mirando la gran hilera de naipes a la niña de sus ojos.

Santo se nace:

Primeramente las escoriaciones van tomando un tono cafesoso, como de nuez, hasta palidecer tanto como la blancura. La baba se va inflando entre los resquicios, una babosidad azulosa. El huevecillo queda finalmente cubierto de plasma, y comienza el escurrimiento, con lentitud, con lentitud. Se trata de una especie de proceso de limpieza. El corpúsculo ya no está baboso y poco a poco va exponiéndose tal cual el contenido que, a juzgar por su aspecto plumífero, parece un pájaro recién nacido. Pero las plumas solamente se encuentran en las alitas; en el resto del cuerpo se pueden distinguir ya con claridad unas formas como de humano. Pero es un ángel, pequeño, pequeño como tórtola. Desde sus párpados cerrados se puede ver la niña de sus ojos, de sus ojos blancos, absolutamente blancos. Los párpados del angelillo son de un colorido verde, claro, transparentoso. La angelidad se prueba fijándose bien en la entrepierna, es decir que no se descubra rastro alguno de hoyanco o protuberancia. La entrepierna de los ángeles es lisa y profundamente limpia. Desde el centro del ángel comienzan a producirse unas breves convulsiones concéntricas, así que de sus poritos emerge el zumo de su sangre, roja roja. En sus labios carnosos se dibuja una sonrisa, mitad dolorosa, mitad placentera, en sus carnosos labios. El ángel ingurgita cuando las plumas de sus alas comienzan a secarse. Al nacer, los ángeles ingurgitan pelusas anaranjadas. Aquí termina esta secuencia, porque los destellos de las catecolaminas no dejan ver más. Tal vez se trata de una emoción venida del estómago profundo, una emoción que hasta ahora tuvo la oportunidad de manifestarse.

Quizá visto desde otra perspectiva el ángel sea un cuervo columpiándose en el hondo calabozo. Aquí Camila la inauditable, en el lugar del adagio y la médula flexible, donde los glóbulos de la hemofilia confabulan sus acechos. Ésta es la noche rigurosa, la mismísima base de las avideces, aquí, en donde se rompen los diques.

¿Qué realidad es ésta? Buscar el carbono monóxico en la hojarasca de los pulmones, en donde tal vez el espíritu del viento aclare las cosas. Pero parece que ya es demasiado tarde, demasiado tarde, pues las banderas del viento se achicharraron allá afuera y todo mengua la potencia/la sangre.

¿En dónde se producen las risas? ¡Urte! ¡Urte, padre de Rubina!

Desde esta polis cárnica se delimitan las voces: Rubina... Rubina, la hija de Urte, Rubina cabeza de trapo... Rubina... la melopea asciende hasta el chupadero de los esfínteres y se desparrama en el paraje de las columnas anilladas, y la cloaca hierve de pus, hierve de pestilencia.

No ha habido día que no truene y se raje este desfiladero, razón por la cual las membranas se vuelven tan frágiles. El viaje continúa, pero de cualquier forma, aunque Camila la reverenciosa no lo intuya siquiera, está ya en la pérgola del eclipse lejano, en el dintel de la escamocha originaria, en la célula de la argamasa.

En el sopor de estas menudencias, los bacilos abren sus interrogaciones en medio de esta campana sorda, en donde pareciera que los silbidos de la sangre son apenas un gruñido de perros atribulados. No hay razón para buscar extremidades o húmeros o fosas femorales. Ojo lucero, ojo lucero de Camila la desconstelada que no sabe para qué sirve mirar y menos todavía para qué sirve saber lo que sucede. A lo mejor el ojo conoce la verdad, pero no sacará provecho alguno del deslumbramiento. En todo caso de nada serviría encontrar la guarida del cisne, que ahí está, ni duda cabe. Mejor seguir los rastros de aquellas breves luminosidades.

Uno se pregunta si el muerto ese no se habrá inquietado ya por la intromisión, quién sabe. Quién sabe si desde afuera de él, alguien, tal vez un sacerdote o quien fuera su padre o su hijo, descubra algún estremecimiento muscular o un escurrir por la comisura de los labios. Desde esa otra realidad ni se sospechan estas agrias llanuras. Es probable que la ventanilla del féretro acuse algunos empañamientos. Los ojos de ese cadáver están ahora blancos, totalmente. Pelotas de leche dura.

Creo que no estaría de más enunciar que en el ribete de una neurona aún se fija una idea, es decir un túmulo completo de química: *la materia se esfuerza por hacer realidad una posibilidad inherente. Cada cambio es una transformación de posibilidad a realidad. —Aristóteles* —Este impulso eléctrico tiene la forma de una nebulosa, denso, muy denso. Tal vez tardará en desaparecer, no se sabe. ¿Cómo delimitar el mundo? En la profundidad también hay mandrágoras dirigiendo la sesión de los tribunales.

Tal vez el cadáver demande ahora una respuesta a la vejación. ¿Qué letargos son éstos? Nada es burdo, nada es sutil, ¿por qué? He ahí la intención de la pregunta. Si sólo soy el celoso guardián de la madriguera de los despojos, ¿que no sepa yo la intención de este experimento? Carne para la maceración, acertijo de la belleza. Entre el cadáver y el féretro la materia comienza a hacerse espesa.

¡Onca! ¡Onka! ¡Honka! Nada, éste ha sido un error de información genética. Onka nunca se realizó.

El cuerpo es algo siempre nuevo, o tal vez por eso mismo es vetusto. Repetir, repetir, ¿hasta cuál saciedad, Camila la descielada? A lo mejor por dentro los cuerpos son también individuales, irrepetibles. ¿Para qué? Cierra los ojos, Camila descongelada, ciérralos, y emprende desde ya el camino de regreso, Camila la desconsiderada, derrumba cada estalactita, derrúmbala para que los territorios reconozcan la obsolescencia de sus fronteras. Todo es divisible o todo es uno, sprit des corps. Pero si todo es un solo cuerpo, sangre del mundo, declina el trabajo del azadón, que no tiene ningún sentido abrir el secreto. Nadie lo entendería, nadie lo encontraría útil, nadie siquiera tendría el coraje de valorarlo, nadie ni para maldita la cosa. El cisne violeta tiene cerrados los ojos de satisfacción.

El arbusto de las bellotas, ramal circuncidado, es la cuna del cáncer, en donde un falso movimiento ha formado un pretil para el desencadenamiento de la monoaminoxidasa, que se multiplica en medio de docenas de burbujas. La voz llamando a Rubina ha quedado muy abajo, o mejor dicho, muy superficial, entre un sinfín de canales y amurallamientos que sirven de escenario a una especie de balet amapólico. Las membranas profundas parecen bembas de cobre, ah, Camila la extraviada hundida en lo que parece una imperfección, pero ya se sabe que cada imperfección se transforma en una deidad superior a ella, porque los dioses son los hijos de los humanos errores. Ah, Camila la desvozada, si tuvieras la voz para resumir la sustancia del acontecimiento, Camila la desbocada... la exacta palabra para dar sentido a la reunión de tantos rombos y espirales y volutas de luz evaporándose interminablemente y electrones y quasares y quantares que no tienen para cuando resolver el problema de la unicidad, porque lleno de cristales está el cuerpo, cualquier cuerpo, porque el cuerpo es cristal esencialmente, uf, los meandros de la carne.

Pero Camila la ufanada no ha cerrado los ojos, su ojo, sus ojos que al punto parecieran más bien dos semillas de ajonjolí, dos delirios, dos atrocidades en el atrevimiento de enfrentar tanta fermentación, tanta flatulencia, tantas bacterias denostadas, Camila la óptica esencial, la pestilencia es un mero asunto de densidades, de estremecimientos, de acideces y derrumbes, de angosturas y amplitudes, de flácidos silencios. ¿Cómo sonarían esos sonidos, si el ojo sólo ve? Probablemente los ojos son también capaces de captar sonidos, quién sabe. ¿Hasta dónde, Camila resucitada? De cualquier manera lo que se ve no es lo que es, sino lo que no es, como mirar al cielo, que ahí está, pero no es, ¿de acuerdo? Quién sabe si el petardo que disparara a Camila la desencaminada fuera la idiota idea de buscar la verdad en los interiores y no en los meros umbrales.

De no cerrar los ojos la visión puede retrotraerse, es decir ver hacia adentro, que es lo que posiblemente esté haciendo ahora Camila la retrospectiva, y que el Grial Chichimeca que se refleja en aquella úlcera son dos realidades, o más, o sea las de ella (Camila) y las revolturas esas por las que ahora navegamos. El Grial Chichimeca es un botón de piedra que contiene la respuesta al misterio de esos perros sucios (Chichimecas), de su deambular, de su antropofagia, de su afición por revolver sus gritos con los ruidos del aire. El Grial Chichimeca puede que descanse en la panza de un coyote. ¿El Grial Chichimeca?, no está aquí, insisto, no en esta panza, sino en la panza de un coyote, el coyote terregoso ojos de gavilán. Entonces la úlcera que se ve pertenece al recuerdo de otro cadáver, que el muerto este haya visto alguna vez al coyote correlón irradiar sus amarilluras por el monte, y la adrenalina lo hizo llegar hasta aquí, convertido ya en una mera visión, algo perfectamente químico, de los ojos a la úlcera. Todo es polivalente, polivalente, siempre hay más de dos opciones.

Los aminoácidos indican que adentro todo es un ardid, escuchemos:

Personajes: Diótima y Alonso Quijano. Escenario difuso.

Diótima: En verdad, don Alonso, que las pasiones humanas son fruto del entendimiento. El miedo no es gratuito; tiene su razón de ser.

Alonso Quijano: El miedo es intrínseco, nace con nosotros.

55

Diótima: Eso jamás, jamás. El miedo es el producto de una razón. Experiencia, pues.

Alonso Quijano: Desde los aminoácidos, desde más atrás, se acuna el miedo. El miedo está en el programa de la creación.

Diótima: No hay temores infundados. Los temores provienen de algo. Si yo tengo miedo, digamos de aquel hombre, será porque él me intimida, me muestra su poderío, me asusta, me indica que si no reacciono así, entonces me atacará. Tengo miedo de él, por esa razón. Pero en el supuesto de que él nunca me haya intimidado y que nunca lo haga, entonces el miedo viene de mí. En ambos casos el miedo se funda en la razón.

Alonso Quijano: El miedo es una vibración, pura alquimia del cuerpo. Pero nosotros no lo sabemos. Es intrínseco, natural, por eso nadie puede con él, ni podrá nunca jamás.

Diótima: No nacemos con el miedo, lo adquiere nuestra razón. El miedo es algo sumamente razonable, es un producto de la cultura...

Alonso Quijano: (interrumpiendo) ¿Entonces la cultura es razón?

Diótima: Sí, absolutamente. Imagine usted, don Alonso, que un individuo nunca tuviera contacto con otro individuo, ¿cree usted que tendría miedo de algo?

Alonso Quijano: De los fenómenos de la naturaleza...

Diótima: El miedo es el resultado del contacto humano,
pura relación de poder, opresores y oprimidos.
Por esa razón la educación se basa en el miedo,
cualquier educación; igual el amor
o la supervivencia.

Alonso Quijano: Usted sólo me habla de instintos,
del poder como instinto. El poder
es instintivo, puro instinto de
supervivencia. Y si hay débiles
y fuertes, pues eso sí que consuma
el miedo.
¿Verdad que nadie tiene miedo al poder?

Diótima: El que busca desesperadamente el poder
es porque tiene un miedo infinito. No se
conforma con saberse débil.
Sólo los verdaderamente poderosos tienen
la facultad de guardar silencio o de reírse del
supuesto poder de los demás. En estos términos,
el que no tiene miedo no quiere el poder.
El poder es un asunto de entes débiles. Cada
quien lleva el arma del tamaño de su miedo,
acuérdese usted.

Alonso Quijano: Me parece que se confunde, mi querida
Diótima. ¿Qué me dice usted del poder
del conocimiento?, porque el
conocimiento otorga un poder, no me va
a decir usted lo contrario.

Diótima: El conocimiento no es saber, es hacer...

Protoplasmas, nucleolos, hidróxidos, azufres enmascara-
dos, adentro todo es un ardid. Veamos: en cualquier célula
dedicada a la pigmentación, por ejemplo, claramente podemos advertir lo siguiente, Camila la sospechada:

Historia número Uno: Salustio es un tipo que ha esperado
toda su vida una oportunidad para el
amor, amor absoluto, dice él.
Salustio ha encontrado en Eugenia
esa oportunidad.Eugenia camina
hacia él, convencida del encuentro
dichoso.

Historia número Dos: Los padres de José Asunción siempre
pensaron que su hijo había nacido
para hacer grandes cosas. Ya desde
la primera infancia era, ya bien el
gran ganador o el gran perdedor. Lo
que fuera su vocación tenía que ser
así: algo grande. Y bueno, estaría de
más describir el tipo de ideas o de
diálogos que finalmente orillaron
a José Asunción a decidirse por
ser un monje en el Tíbet.
Y hasta el mismísimo Tíbet marchó
el tal José Asunción. También está
de más decir que en sus adentros
estaba a reventar de satisfacciones.

Historia número Tres: El poeta y el arriero son amigos,
porque su profesión es la misma.

Las historias: José Asunción se topó con Eugenia, ambos
bajo la sombra de un árbol, descansando.

A Chon le fue revelado que con Eugenia la
vida le otorgaría la oportunidad de llevársela
tranquilo, sin sobresaltos, pues el que espera
mucho de la vida siempre se topa con la
angustia que lo obliga a triunfar, lo que
necesariamente lo orilla a vivir en tensión,
y que finalmente no lo conseguirá. Para José
Asunción no había duda. Eugenia o el Tíbet.
Eugenia pensó que José Asunción era
Salustio, dadas sus características, así que no
dudó un instante en refrendar su deseo junto
a aquel hombre. Desesperado, Salustio
emprendió la búsqueda. ¡Eugenia!
¡Eugenia! Ah, no, la oportunidad siempre
es una sola, así que me largo a encontrarla,
es decir a trabajar por ella. ¿Qué es el amor?
El amor es trabajo, no sólo intención.
¿Acaso el amor sólo puede ser conseguido
a través de una mujer? Por supuesto que no,
sobre todo si la mujer en cuestión es
olvidadiza. Obvio suponer que Salustio se
topó finalmente con los padres de José
Asunción, quienes en el fondo pensaban
que el mejor destino del hombre es el
encuentro con su raíz. Asunto arreglado.
Trabajar de poeta o de arriero es un asunto
que requiere de soledad. Claro que ambos
tomaron cada cual su propio camino.
El poeta se recostaba cada tarde en el árbol
de los encuentros. El arriero fue a dar hasta
el Tíbet por cuestiones de falta de
orientación.

Hay muchos relicarios, tantos como recovecos.

¿Por qué los exámenes incorpóreos son siempre un asunto post mortem? Ay, Camila la seráfica, imaginando a estas alturas disecciones en los cuerpos vivientes, cuando que ella se ha adentrado. El cuerpo, afuera, comienza a mostrar signos de real descomposición. De los lacrimales exudan gotitas de pus sanguinolenta; los poros de la nariz se han abierto definitivamente. El pío cadáver arranca las lágrimas y los dolores de las sombras dolientes. Las llamitas de los cirios chirrian sus exterminios y la pestilencia se aposenta en las enrarecidas atmósferas de aquella madrugada. Los rezos vuelven a subir de tono, hasta la angustia, hasta el temblor involuntario.

Adentro las cosas se aclaran cada vez más, es decir que si se pone uno muy racional, colegirá que en la descomposición se topa con los secretos que en la plenitud vital ni siquiera se intuyen. El secreto entonces está en buscar los caminos de regreso; ahí es en donde está la pauta. Y en algún relicario de ésos, el ojo de Camila la descubridora se topó con el súcubo, y recordó que el comercio carnal con los varones era una cosa mal vista, sobre todo si el individuo en cuestión era varón y se disfrazaba de mujer para conseguir sus maloras intenciones. Tal vez Alonso Quijano tenía razón. El súcubo, cuando existe, va intrínseco, no es cultural, y eso es precisamente de lo que ahora Camila la insurreccionada estaba segura. El huevo del súcubo es apenas una vejiguita, pero muy consistente; adentro, un breve equino con cabeza de águila.

Cuando el ojo visor estuvo bien instalado en la ensombrecida rinconera, el equino babeó: *¿En dónde están los hombres?* Acto seguido aquel bicho sufrió violentas temblorinas y comenzó a galopar, circularmente, claro está, por las paredes de su relicario. ¡Qué de babosidades escurrían por sus belfos! Y desde los más alejados rincones comenzaron a escucharse rumores, muchos rumores, como de ejércitos regresando derrotados por un sinfin de caminos lodosos y entrecruzados.

La sexualidad es el miedo a quedarse solo en el mundo, es decir sin descendencia. Diótima dijo a Quijano que el súcubo, como los otros miedos, viene a instalarse desde el exterior. El miedo es el resultado de la cultura.

Cerca, muy cerca de esta vejiga pueden encontrarse algunas glándulas sudoríparas, iluminadas en cuanto apenas por unos faroles amarillos, de pequeñas pero muy intensas luminosidades. La piel del súcubo expele sudores densos. Este caballo águila tiene inscritos en los ojos un montón de pergaminos, en donde pueden leerse frases como estas: "Las mujeres no tienen súcubo". "Éste es el centro del placer", "La inseminación es pura cuestión de inseguridad", "Los sabios saben que de aquí nacen las genialidades", etcétera.

Camila la desdeñada no podía creerlo, toparse con las secretas escalas de la vida. El imperio del súcubo. Una reliquia. Una vejiguita, un caballo con testa de águila. La violencia es el real instinto de conservación, la chispa del carbono.

Monólogo:

¿Y para quién es la historia, sino para nosotros?

El látigo y la adormidera
El hombre está adentro del hombre
¿Para qué mirar hacia lo lejano?
Comenzaron la revolución sin mí
Lo que se ve es lo que no es
Lo que no se ve es lo que es
o no lo que es
sino lo que está
Oh, lo fundamental es el regreso
la reacción
no la acción
Este cuerpo que duerme

Una paloma ciega
oh, mi escalera de silencios
aguda calcinación
Puede ser un cuerpo sin carne
en el pórtico de la resurrección
clave de la urdimbre
La conciencia enloquecida
Camila la sustanciada.

Resumiendo: tres imperios, el aéreo, es decir la piel los ojos las manos y los pasos (El Infierno); el cárnico, es decir las vísceras el cerebro la sangre (El Purgatorio); el implícito, es decir la química (El Cielo).

¿Para qué llegar al cielo?, tal vez por la pura idea de salirse de lo cotidiano, ni modo que en estos cielos tan cercanos sea necesario el amor o cualquiera otra voluntariosa necesidad, puro prurito aventurero, como cachondearse abriendo brecha sin buscarse algo al final de ese destino. ¿Alguien podría adivinar qué voluntades empujaron a Camila la voluntariosa a emprender este mareo de podredumbres? A lo mejor Camila era, hasta antes de ahora, una simple mujer sin darse cuenta y que fue a dar al velorio ese por perdida en la calle con sus pasos, o probablemente nada tenía qué ver ni la voluntad ni menos sus desorientaciones. Tal vez ni siquiera entró al tal cadáver y se trate de un mero acto de prestidigitación y que Camila esté de cierto formando parte de aquellos dolientes, tomando café con ellos o llorando con ellos o quién sabe qué haciendo con ellos, tal vez es la viuda desconsolada y esto es producto del cansancio y del sueño, o una lágrima se detuvo más de lo debido a la salida de sus ojos y lo que mira es alguna sicodélica ensoñación. Camila la ensoñada ahora bien pudiera pensar que se trata de un auténtico salto mortal, que el tiempo se detuvo en alguna parte de su cerebro o de su corazón y que el resumen haya sido una alocada idea, nada más por no dejar, nada más por buscarse qué hacer para no cerrar los ojos y darse por vencida al sueño ahora que pudiera estar amaneciendo y que los primeros ruidos de la ciudad enturbien su cansancio, Camila descansada, probable aficionada a los amaneceres. Camila posiblemente una mirada triste en unos grandes ojos negros, ojerosa, quién sabe, viuda mortal por necesidad o triste hija de la desherencia.

Los tres imperios, los tres imperios, la piel la sangre el resorte, Camila jabato desconcertado buscando la huella de sus propios pasos. Camila jabata.

Si es posible y propio adentrarse en un cadáver sólo con la vista, con los ojos, entonces la pregunta es en dónde está el cuerpo de Camila la descorporeizada. Pudiera tratarse en ese caso de un llamado *viaje astral, monádico* y en cuyo caso el tiempo no cuenta, no existe, pues. Si es así, ¿para qué?, ¿qué voluta del cosmos coincide con ella? O bien si no es posible, ¿qué carajos está pasando aquí? No creo que alguien presuma ser la pura vista, aun en el caso de que nos inclinemos a pensar en los profundos venenos naturales, de ahí pueden resultar vampiros interiores. ¿Será posible que el guía sea un vampiro interior, el ojo atribulado?

Un vampiro.

Los aletazos del vampiro rasgaron las flores, las membranas, por eso el cuerpo se resiente con temblores. ¡Súcubo! demonio interior, con la muerte se sueltan las fieras. ¿Cuándo deja de producir energía la materia? El camino de regreso, cuando el conocimiento se deja a la pura intuición. La lógica perdió a los hombres. Diótima estaba equivocada. Los aletazos del vampiro que antes de la muerte es el desencarcelador de los espermas, el vampiro espérmico recolector de sustancias para la continuación. Por todo el cuerpo puede andar el vampiro disparando sus inquisiciones para la mayor gloria del mundo. El vampiro a veces se siente culpable y es cuando le da por hablar de asuntos inconexos, bueno, hablar es un decir, chillar mejor dicho, chillar sus desesperados intentos de limpieza, así: todo mengua/El vientre/La potencia/La sangre, tres amigos en algún arcano calabozo, amigos quién sabe, náufragos del mismo oriente, o tal vez no, pues bien, primero un ligero patito, lleno de líquenes, ojos a cuadros, bizco por mayor señal, ligero ligero, breve y color azafrán; un chupamirto que, sin patas, no puede dejar de volar, incansable hasta la locura; y un tecolotito con el pico atrás. Los amigos prenden fumarolas y se reconocen: uno muy dientón, otro cagado, siempre, otro con el pico atrás. Los sesos no son la sustancia, son el puro ducto para que la mierda se vaya por donde se tiene que ir.

Hay que decir que mientras esta adyacencia suelta su vapor, un retumbo desde el fondo de algún desfiladero provoca una estampida de reacciones. Primeramente goteras, pero goteras absolutas que se desprenden de todos, todos los techos interiores plap plap plap plap insistente, como pretendiendo una horadación plap plap plap. Algo abrió las puertas de la sangre. Aquí ha sucedido un descongelamiento plap plap plap, pero luego los plap ya no fueron plap sino que murmullos de furia desatada. Alguna picota suscitó el derrumbamiento, huecos del dolor una parvada de pelícanos se pone a recorrer cada entrevero, cada bifurcación. Más que parvada es algo como el espíritu de la lumbre que se ha desencadenado, los cimientos del cuerpo retiemblan y el ojo de Camila la intemperada es el ojo de la brújula queriendo reventar de su prisión.

Una estampida, un desbordamiento, qué conmoción, cimbrado todo, hasta las salientes cabelludas. Vemos pasar engranes, yunques, aluviones de plasma, la cloaca se ha abierto en algún sitio trascendental, pero, ¿en dónde?, qué mas da, ya no importa, nunca importó, marea de los moscardones, migajón dorsal, qué desalojo violento después de tanta paz. En todos lados, menos en el hipotálamo, en la parte baja del hipotálamo, ahí en donde el cerebro deveras está condenado a la soledad. Las venas chicotean a tontas y a locas provocando por supuesto muchos ahorcamientos, muchos. Ha sido el colmo de la irritación, el colmo, es un auténtico y real pathos dramático. Discos llegados desde los ojos del muerto levantan sus hachazos, prenden fogatas de fosfenos a cada corpúsculo que alcanzan, es un incendio voraz, ¿qué pasará allá afuera?, ah, tal vez una última visión, un último intento por sostenerse de aquel cielo exterior.

Con la consistencia y el calor de los alfajores la inundación y el escándalo tocan a su término. La solidez instala su reino de nueva cuenta. Cabe sospechar si Urte ha dejado escapar un mandamiento. Las historias interiores han regresado a sus riberas ¡sota marindola trapisonda moliní! revienta en su gaznate el tecolotito con el pico atrás. El humo ahora se encarga de las pantomimas, pero deja ver difusamente las figurillas haciendo círculos, ejecutando el rito del alcaraván.

En el cubo de cristal: Mi familia y yo somos la aristocracia en plena retirada, interrumpe el patito dientón al ¡sota marindola trapisonda moliní!, aristocracia en retirada, cómo me golpea la historia, cómo me desaloja, ¿por qué? No te preocupes patito dientón, no te preocupes, sólo déjate llevar. Ay, chupamirto cagado, ay, chupamirtito, qué necesidad de conocer el primer borbotón de mi sangre, qué necesidad, y yo sólo recuerdo el interior del huevo, un gran huevo hueco hueco, y yo adentro, hirviendo y tambaleándome a cada oscilación, venosidades muy rosadas latían en el interior de mi huevote. Yo, tranquilo, esperando, controlando la oscilación, cuando de pronto ¡cuas! el plástico interior se resquebraja, se cancela, o sea que sucumbe y dieciséis líneas blancas dibujan su entrada justo a la altura de mis ojos, y luego otras dieciséis a mis pies, ¡zas! doble irrumpidero, arriba y abajo, aunque no sé, claro, claro, dientes, dientes, por supuesto, yo mirando una mordida en el centro de la oquedad, ¡puas! mordida. En el mero huevo. Oye, patito dientón, eso es un sueño. ¡Sí!, pero no mío, eso no; era el sueño de alguien, un entrecruzamiento de sueños, alguna válvula que se reventó en el subconsciente, y quise corregir la dirección de aquello, y bien, alcancé en algo a conseguirlo. La mordida se detuvo, pero la imagen dental penetró en mis ojos hasta quedarse inseminada en lo profundo, en lo absolutamente raquídeo. Tal vez la picota derrumbando los muros, como siempre. Y bien, encenegado me colgué de las lianas para no perder el control. Al sesgo vi un pudridero de gritos, sí, definitivo, estaba metido en otro sueño, dos sueños en uno, dos. Soy un clon, ¿un clon, patito dientón? Sí, un auténtico clon, chupamirto cagado, tecolotito con el pico atrás, un auténtico clon, como todos los sueños, y ése es el peligro de andar en estas neurónicas cavidades, en donde las mielinas corren sin control, pues todo viene de quién sabe dónde. Yo soy un patito dientón, y no por engendro, sino por clonación, ión ión.

—Las naranjas no pueden darse sin semillas.

—Yo mi pico atrás por fallas en el diseño.

—¿Tú?

—Yo.

—No hay un real control en todo esto, no lo hay, seguro que no. Si lo hubiera, todo sería idéntico, todo. La ley es que no hay ley.

—Y en cuanto abandoné el recinto oval, primera visión: los fantasmas que se abomban, se traslucen, se irritan, danzan unos como ángeles. Han atrapado una pléyade celular. ¿Qué cosa es todo esto?

—Todo es real, las visiones son reales, porque la química y la electricidad son así de reales.

Qué chingar con la química y la electricidad. Es decir que no hay esquizofrenia.

—La electricidad es el conducto, la química es la envoltura, la forma.

—¿De qué? Sí, ya sé, de una disvoluntad, es decir de alguna falla, como siempre. Yo no tengo patitas pero, ¿para qué?, los pájaros no necesitamos esas extremosidades; podemos hacer todo volando.

—¿Son suficientes las alas?

—No, definitivamente no.

—Nada es suficiente.

MEMENTO

Más adelante, es decir en otro lado del cuerpo este, justo en la parte más interna de un menisco descalcificado (probablemente el muerto es un tipo gordo) y justo mientras en otra parte acontece una loca historia de niños, de niños cayendo involuntariamente en la inercia de cierta desesperación, podemos observar a través del camiliano ocúlico lo siguiente:

*Es más o menos como la nave lateral de un templo gótico, con ambientación nocturna, por supuesto. Una neblina muy densa se hace plena en el interior, razón por la cual no se sabe si hay muebles o íconos, pero de cualquier manera es lógico suponer que no hay ni fieles ni difuntos. De pronto un sonido sordo, muy sordo, se revuelve con la neblinosidad: ha sido la campana mayor que desciende su fuerza contundente hasta las mismas estructuras de lo que parece fungir como la tierra. Alguien en el fondo columpia un enorme botafumeiro, lo que produce unos destellos azules por entre la bruma. Camila ojo de cruz dorada. El coro está dividido en dos partes, una a cada lado del altar central, frente a frente. Sí, en medio de ambas partes un cuerpo yacente, desnudo y gris, muerto, claro está. El cuerpo ese descansa sobre una mesa de mármol y, como el ojo está desde la otra nave lateral, muy bien que puede observarse que se trata de una mujer, una mujer encinta, mujer bruma, piel de bruma, pelo de bru-

67

ma, brazos colgantes de bruma, vientre de bruma. Sí hay difunto.

Los coros comienzan su intervención. Es una especie de salmo, muy lento y profundo. El de la izquierda pregunta y el de la derecha responde:

(Coro a la izquierda que pregunta)   (Coro a la derecha que responde)

Iptan minis ti	Iptan minis ti
Sirimus sirimus	Minis
Cas	Minis Cas
	Olemi
Olemi	
Dipis Carastimas	
Dipis	Ti
	Cas
	Ti Cas
Aratamito	Iptan minis
	Olemi
Olemi (ambos al unísono)	Olemi

Aunque de los cantos no hay seguridad que sean así. Así se oye, se intuye, más bien. Las voces del coro de la izquierda son afeminadas, pero graves, en tanto que las de la derecha no se distingue de cuál género son, pero dan los tonos altos. Ambas columnas en Lento Maestoso.

Mientras los coreutas emiten sus cánticos, de sus ojos cintilan brevísimas luces azulosas. La niebla es una voluta implosiva que rebota en todos los muros al no encontrar salida. Cualquier cosa puede uno imaginarse, como por ejemplo que la forma de la neblínica densidad es un cuerpo descoyuntado que trata terriblemente de coincidir en sus formas, pero no puede conseguirlo.

No sé si ya dije que no hay coincidencias, pero si no es así, pues entonces lo digo en este momento. No hay coincidencias.

> Marioneta
> hilos de agua
> que se desvanecen
> Camila ojo guiñol
> hilos de agua
> que se enredan
> ojo/marioneta   solo
> sin más derivación
> lo que al inicio fue un descanso
> luego columpiarse
> sobre los picos de los
> rombos
> diamantes o algo así
> ojo de pájaro
> pájaro guiñol
> el vuelo hacia lo elemental
> el pájaro de la carne

Quien se mira al espejo se va de sí mismo, se pierde en la otredad

Camila la latente, la flujosa. Clave. La clave es el flujo. Si yo lograra descubrir el secreto del flujo, el misterio ese, entonces detengo la vida, para su observación. Pero se sabe que la vida no va. La vida es un concepto demasiado viejo, demasiado primitivo, parte de un lejano flujo. Cola de serpiente.

Y fibra óptica es entonces el ojo camiliano, Camila la fibrosa, la fíbrica, opticosa. Y miren:

Una bellísima hormona, pletórica pues, explotó en cierta estación de aquel bajo vientre. Y resulta que la hormona esa explotó de tanto cargarse de dudas y comenzó a derivar su destanteo, burbuja, ópalo, pectoral, potasa, sangre, luz, calcios. Y en determinado glóbulo, casi por el puro efecto de la disipación, ojo en venoclisis nos encontramos ante la visión, plasmados de plano en un dodecaedro y, ahí, algún ego batallando con su Ferrari, es decir, en medio del desierto y frente a un campamento de beduinos, ahí y no en algún infinitesimal pero factible cruce de caminos de la selva chiapaneca. ¿Es que todo, todo, es una coincidencia? Se dijo dodecaedro, pero tal vez por la imposibilidad neblinosa de un auténtico poliedro. Pues bien, que ese ego batallando con su Ferrari quitarse un zapato ante la inminente embestida beduínica y dejarlo bajo una de las llantas y conseguir finalmente y a toda velocidad eludir aquel terrible coro de camellos.

¿Qué tipo de eslabones puede ligarnos con el pasado?, porque entretejiendo la pulpa podemos encontrar con toda seguridad miles de millones de los embriones del Hipocampo. Sí, la concatenación es la clave. La concatenación es la clave, que quede claro. ¿Que qué es la concatenación?

Verbi gratia:

Un tipo cualquiera bien puede preguntarse acerca de lo que tiene que ver con sus ancestros. Siempre hubo alguien antes que él, pero siempre alguien después (por lo mismo). Ergo: la clave es él. O sea: el tipo está sentado en su vieja escuela, reflexionando melancólicamente y muy claro puede advertir un eco de voces, una de ellas, la suya, de cuando estuvo ahí como estudiante, hace mucho (porque a veces los gritos se detienen, flotan en la energía porque eso son, no se van físicamente. Los ecos retumban en otra capa de fluido y retachan hasta por acá. Las ondas del sonido nunca desaparecen. La reacción no existe, solamente la acción. ¿Está claro? Bien). Así que ese tipo ha estado siempre en su escuela, nunca se fue, pero ahora regresa, ¿por qué?, por la pura concatenación.

Él abrevó de sus mayores, algo le dieron ellos, algo le quedó, algo dio él a los menores de después. Siempre ha estado (en consecuencia) siempre estará. Lo supo por los viejos, los jóvenes lo supieron por él. Abracadabra. La clave es la concatenación, no desligarse, no perder el hilo conductor. Por eso es tan importante no perder de vista el sentido de la Generación.

Es posible que en el simple protoplasma esté toda la historia del universo, el testigo ocular tan vívido, por eso no es aventurado decir que somos cósmicos, o dioses, o la palabra de dios que se hace eco en los cuerpos.

Pues el ego del Ferrari está ya ante las puertas de la Roma Imperial, haciendo rugir (silenciosamente) su delicado motor. Oprime el claxon y ve la hora marcada en su reloj: tres y cuarto, muy bien, todavía es tiempo de comer y luego la larga y consabida siesta. Pero con el sonido del claxon, como a cincuenta metros de ahí, un grupo de guardias pretorianos, corazones a punto de saltar, no saben cómo reaccionar ante lo desconocido. Y entonces una huída discreta para no mostrar miedo porque para eso son pretorianos. El ego ferrárico pisa ligero el pedal y se va detrás de ellos, lo que hace que el miedo pretoriano se convierta en terror pánico. Así que a toda velocidad el uno detrás de los otros. Los caballos romanos nunca habían sido instigados de tal manera, por lo que no tardan mucho tiempo en reventar. Lo bueno es que ya estaban bien adentro de la ciudad eterna. Caídos y enterregados los pencos, esto es correr desaforados esos pretorianos y el ego, entre sorprendido y cansado por el raro viajecito, disminuir la velocidad para ser preciso a la hora de detenerse. Las puertas de la mansión de un tribuno se abren y los guardias no saben qué decir, solamente señalan entrecortadamente al tipo que abrió la puerta hacia la mole de láminas granate, el Ferrari. ¡VT VALES! ¿Qué es?, pero los pretorianos no recuperan la compostura. Entonces el Ferrari se empareja a la dicha

71

casa del tribuno y entona otra vez el claxon. Los curiosos comienzan a llegar y un sordo rumor invade la clara calle romana. El ego desciende del auto y pregunta: ¿Dónde es aquí? Lengua extraña. Bueno, entre paréntesis, lo dicho por los romanos no lo transcribo tal cual, sino que su traducción al español, por lógicas razones de entendimientos. ¿Quién es ese extraño ser y qué hace aquí, por Júpiter? Quien es no lo sabemos de cierto, tal vez un dios desatado o desentendido de su lugar. Extraño, amicus meus, ¿quiéres una hermosa hembra romana?, ¿tal vez una nubia?, hay muchas. ¿Pero quiénes son estos tipos y qué carajos hago yo aquí? Miren, estoy extraviado y lo que más me urge es algo de comer y luego descansar un poco y tomar una ducha y un tanque de gasolina para continuar con la rutita esta. ¡Hey, traigan algo para ofrecerle!, tal vez le gustarán nuestros regalos; y traigan algunas viandas y algo fresco para beber. ¡Avisad al César! ¡Que el Senado se reúna de inmediato! Ffuuuuummm, los pretorianos a avisar al César acomodaticio y a los nobles ancianos. ¡Que vayan todos los optimates! ¿Los optimates?, esa palabra sí la conozco, así que me encuentro en un sitio no tan desconocido para mí. Cielos, el gordo este tiene una cara de patricio que no puede con ella, ¿será un patricio?, ¿un senator? Acaso estoy enmedio de una película de circunstancia, de época, en Cinema Citá o algo así. Qué tipos tan chistosos. ¿Eres un enviado de Asdrúbal? ¿De Numa Pompilio? ¿Asdrúbal? ¿Numa Pompilio?, épale, bonita chingadera, entiendo y no entiendo. ¿Quiénes serán estos mamones? Tengo tres cuartos de tanque de gasolina, lo suficiente como para pelarme de aquí, esto me saca de onda, y en este pensamiento la gente comenzó a formar una valla, una gran valla. El ego comprendió. El tribuno caminó hasta la parte frontal del Ferrari e indicó al ego que lo siguiera. El ego poco pernicioso, encendió un cigarrillo (yo creo que de nervios) ante la estupefacción general. El tribuno comenzó a caminar lentamente y sudando sus escalofríos, así que el ego abordó su automóvil (por mero instinto) y se puso a seguirlo. El pueblo romano nunca olvidaría este acontecimiento, aunque siglos después se dijo que había sido algo así como una alucinación.

Por cuanta calle pasaba la rara comitiva el pueblo iba abriendo bocas y ojos de admiración. Pronto llegaron al Palatino. ¡IVLIVS! ¿IVLIVS? Las tropas de seguridad estaban apostadas. Por la escalinata descendían graves tribunos y optimates, équites y quirites. El César, el César, pero un gran silencio, las neblinosas páginas de la historia son siempre así, inciertas. ¡El César! El ego no halló otra cosa qué hacer que encender su aparato de sonido, su supermodular integrado, (por instinto, creo) algo de *new age* o progresivo. El César aparecía en esos precisos momentos y el ego se sintió absolutamente sobrecogido. Nunca había visto algo divino, la neta. Encendió otro cigarrillo (por instinto, creo) ante la admiración general. Sudaba. Encendió varias veces su mechero y al César no le quedó más remedio que detener su magistral descenso y quedarse grave e incólume, esto es muriéndose de los nervios, sacadísimo de onda. Y diez veces el ego encendió el mechero, las mismas que daba largas bocanadas al humo cigarrillístico. ¡Por Júpiter!, ¿qué es? De cierto no lo sabemos, no, Divino, sólo llegó, pero ni idea. ¡Pues traed de inmediato algún poeta o filósofo o músico o cualquier mierda de esas para que nos interprete el acontecimiento! Divino César, ¿y el Oráculo? Préstenme su atención, caballeros, y tal vez logremos entendernos. Perdón, pero, ¿en dónde estamos? Me parece que esta es una equivocación, ni duda cabe. Desde algún país este hombre noticias trae, desde la terra pro vincia, y un destacamento pretoriano rodeaba ya al ego perplejo (prestar y ver), por lo que éste, cual saeta veloz, pegar un tarzanístico brinco hasta sentarse al volante (estilo Hollywood) y, obvio, rrrruuuuuuuuummmmmmmm, en primerasegundaterceraycuartayquinta como si una sola cosa. ¡Esto no puede ser! ¿Qué es?, pero sin darse cuenta de que el tal ego estaba peor de asustado, hasta que el Divino ¡Ya! ¡Yo soy el Divino César! ¡Capita Romae sum!, ¡et urbis! y frenazo y ego cambiar cassette y poner música griega antigua que por casualidad traer y luego pararse en el asiento y desnudarse para que todos ver pitito y caderas y espaldar y dejarles con un palmo de narices porque ser humano. Un filólogo, señor, un filólogo hemos logrado traer, filólogo beodo, ¿un qué?, un griego loco de no sé qué provincia de vosotros. ¿Qué dice? El latín en grado extremo de descomposición, como parlante, con palabras arrastradas por los estragos del vino filólogo decir. Un momento, caballeros, me parece que ahora lo comprendo, un momento, digo, si quieren ustedes puedo muy bien ayudarles, mínimo a controlar al pueblo romano, palabras que le salieron como producto de una iluminación, ¿qué dije?, sí, como lo oyen, incluso alguna que otra guerrita y (filólogo reír maliciosamente), de una por una, todas, todas las guerritas y por lo tanto la gran guerrota, pero luego filólogo deducir si estos pendejos ganan todas las guerritas entonces la historia futura quedará nada más y nada menos que anulada. (Ojos de filólogo hacer bizcos de tanta vinosidad y tambalearse.) ¡No! No le escuchéis, este tipo es un demente, ¡por Zeus! me lleva la chingada, no me queda entonces más remedio que un apañón y subir ego volumen de cassetera a todo lo que ésta dar. Todos asustarse, por supuesto, y ego pensar en dicho ínterin las mamadas siempre dan buen resultado cuando no se sabe con precisión qué hacer y entonces César Divino el postrado y temeroso y apanicado caer: ¡Este es el agorero! ¡El águila pasó volando por encima de nuestras cabezas y nosotros hemos visto que no nos ha dejado aquí ningún aguilucho como señal! ¡Estamos perdidos! Pero un tribuno suspicaz decir a otro: César tiene miedo, está castrado, y ningún castrado será digno del pueblo romano ¡civites! Entonces ego dio a César un cigarrillo encendido (Marlboro, por supuesto), lo invitó a encaramarse en el Ferrari, bajó el volumen de la música y César lanzó a todos una gran carcajada de satisfacción y mostrábales que sí tener gran pitito. Ego se aprestaba a conducir al tiempo que llegaba a la plazoleta una aguerridísima cohorte sonando sus tambores y toda la cosa. El pueblo se asustó, pero los tribunos no. ¡Vámonos! ¡A ganar todas las guerritas! ¡El Ferrari es la táctica, provincianos de cagada! Nadie se movió, pero estas palabras enardecieron a los presentes, el pueblo romano es el pueblo romano, así que el ego arrancó a toda velocidad, rechinando llantas, pero el Ferrari no fue tan violento como los dardos romanos y ¡zas! en la puritita espalda del Divino. El polvo levantado por Ferrari se hizo una gran nube hasta el punto de borrar toda señal, todo vestigio, ahí y para siempre.

Prima Lectio: Las sombras son más grandes que los cuerpos.

Parecería torpe pensar que un triste Ferrari pudiera burlar la furia de los cartagineses elefantes.

Los sueños van y vienen, a veces se entrecruzan o se amalgaman y ya no distinguen sus procedencias. Dos sustancias, o más, hacen una sola sustancia, un solo lodazal, o muchos lodazales. Espejos opacos humeados veredas laberínticas ¿anatemas provenientes de la punta de un pie? No se sabe con exactitud. Ay, Camila la desgobernada, no hay ley.

El último estremecimiento corporal trajo consigo muchos reacomodos. Miles de capas cambiaron de sitio. Empezó el estado de salación y estos ataúdes de adentro sobre sus catafalcos de cristal pararon de girar intempestivamente ¡Obris! se escucha, un Obris muy claro, pero también muy seco. El ojo de Camila la avisorada terminó su mareo, lo que le llevó aproximadamente cinco minutos. Todas las arcillas visibles acomodadas en su arriate, las coordenadas se desfactorizaron y produjeron de paso una anudazón de espirales. Después uno como zumbar de abejas, muy lejano, ¿en dónde estamos?, ¿bajo el régimen de qué caos?

Esto es una bodega, ni más ni menos, pero el ojo de Camila la recuperada, casi por instinto, se adhiere a la visión de una marsupia que reinicia un lento viaje celular, y una célula se irrita e inmediatamente se ablanda como un corazoncillo batiendo sus tamborines. La mielina absorbe los relámpagos coincidentes y se prende de nueva cuenta a los agujeros del sueño, como si entonces uno quisiera advertir que la muerte es un sueño.

Los agujeros del sueño son aterciopelados:

En una estancia del tamaño de la cabeza de un alfiler, un destello, y ahí se adhiere el ojo de Camila la movimentosa, porque el morbo y la curiosidad o vayan ustedes a saber, la fija a un leve proyector de transparencias que desliza cuadros, imágenes como la de un hombre barbado moreno escribiendo algo en los muslos de una muchacha. El tipo improvisa un poema lascivo con un punzón que arde de ascuas, para que quede bien grabado, y es que enfocando bien, se advierten pelillos en la piel muslar, y tantísimas venosidades al ras, achipotando la superficie, pero la muchacha no emite o no parece emitir señales de dolor, más bien se comporta como si estuviera en un místico arrebato.

> Tizne alumbre
> tus muslos firmes tus vellosidades
>   tu sangre
>   chiquita
>   la luz sale de mi punzón
> los ríos azules y sus meandros
> mi punzón destella cuando revientan tus granillos
> destella
> chiquita
>   muslos tiznados
> mi picota hierve desde su agua interior
> tus muslos firmes

te cauterizo para que pierdas lo imperfecto
de ti
cauterizada limpia verdadera
chiquita

Y luego la siguiente imagen:
El mismo tipo y tal vez la misma mujer, sólo que ella está embarazada. Él viste una capa morada que lo cubre prácticamente. Él tiene los ojos blancos y el pelo ralo y lacio; a sus pies, ella, desnuda, a no ser por unos trapos que le cubren los pies; sus muslos negruzcos, plenamente cauterizados, con infinidad de grietas. También del pubis desaparecieron los vellos y su panza está tan tensada, que la presión ha dejado sin piel a las chiches, en cuyo lugar se advierte un manchón delgado, casi lineal, una raya café oscuro, hacia abajo.

A lo mejor este tipo es Urte, el de la Crónica Moral, Camila la sospechosa. En la panza embarazadísima de la muchacha pueden verse los siguientes caracteres:

Delta   Gaviota   Sat   Pingüe

Y luego la siguiente imagen: Tiranosaurio derrumbándose.

Es todo, porque de inmediato la luminosidad comenzó a rasgarse en intermitencias hasta alcanzar una penumbra más o menos constante. El ojo camilesco apachurrado hasta parecerse a un huevo. Ojo camilesco con sus colores desbordados, coletas más que colores, porque adentro y bajo todas estas circunstancias los canales terminan por adueñarse de todo, o de casi todo, pese a la insistencia de los alvéolos, que revientan sus fuelles hasta la última desesperación.

¿En la muerte de quién estoy? Si pudiera saberse la razón del último suspiro, si cáncer pulmonar diabetes sida congestión alcohólica, una pista, una, y con cierta seguridad podría alcanzar un correcto desplazamiento, por lo menos entender cuál es el canal interceptado, para llegar a donde se tenga que llegar, a la casa de las vestales o a la tierra baldía, pero se desconoce incluso, dijimos, la primera voluntad camiliana, o simplemente su voluntad o sea el qué pasa aquí, si la propia Camila lo sabe o no.

¡Tierra sin luz!
¡Cava de los acomodamientos!

Parece que ya no se puede transitar pero, ¿en dónde estamos?, ¿a qué altura de las cosas?, ¿y si lo que sucede es el comienzo de una incineración?, ¿qué pasaría con todo esto en el dado caso de una incineración? Tal vez el tiempo ha estado deteniéndose, pegaso adolorido y ciego, o ya transitó y aquí adentro el tiempo no es elemental, que lo único real es el espacio y la circunstancia del espacio pero, ¿y la temperatura?, no hay, como en el macrocosmos, como estar tratando de explotar adentro de una lata, empantanado, atemperando, atemperando, bala que ya chicoteó el martillo pero recién recorre un milímetro. Las puertas de la sangre. Éste puede ser, ¿por qué no?, ese milímetro después de la incineración, de ahí que tanta combinación de sosiegos y derrumbamientos. ¿Y si no?

La pus, bajo el ataúd de afuera, comienza a gotear, y como los cirios están a la sordina, no son notorias esas acumulaciones sobre la duela que se apolilla.

LA HÉGIRA

El descenso hacia otra parte, hacia algo que con toda seguridad tiene algún hueco u otro encuadre, sin lógicas, sin ilógicas, sin pestilencias, sin glucosa y sin sal, fuera de todo cromosoma, de toda leucocítica falsedad, en donde los formoles no funcionan para maldita la conservación, lo absolutamente impropio, desleal, meterse a investigar y no solucionar en absoluto, es decir por ejemplo la mirada de los viejos viejos, que no se sabe qué miran ni cómo lo hacen, a saber como en la primerísima infancia que el bebé no sabemos si se burla o se acontenta (aunque las miradas más brutas parecen a veces mostrar algún rasgo de suma inteligencia) (aunque las miradas más inteligentes parecen a veces mostrar algún rasgo de suma estupidez). Abrir la puerta de la luminosa oscuridad.

O el ascenso, digamos.
O ninguno de los dos.
O la ruptura.
¿Hacia dónde, Camila la desescenificada?

Todo tiene su pulsión, su energía, su velocidad, su desplazamiento, huevo y cruz.

El ojo de Camila la intuicionada no se sabe en dónde está, en qué hueco. Tal vez ya está desbaratado o vaga a la deriva entre mil derrumbamientos. Ya no se ve, ni el ojo ni lo que el ojo pudiera mirar, pero sí, alguna memoria visual vislumbra en lo menos denso de equis oscuridad un cuerpo que se despelleja, se descarna, se deshuesa, se desangra. La crónica de un desencuentro, pero verdaderamente sería imposible saber si lo ve el ojo camiliense o se trata de una proyección, también camiliense, de Camila la desbaratada que se ha congelado de terror. Camila intramuscular, intravenosa. Es necesario, urge encontrar el vástago sin que la búsqueda sea tan humillante.

En el piso de la sala funeraria las manchas comienzan la expansión. Allá arriba los componentes de la carne han soltado sus látigos definitivamente. La materia ya está revertida. Ya se reventó.

¡Malencus!

Y una ampolla comienza su inflación, lenta, suave, como un górgoro, zafándose del hervidero, membraba oval sin estremecimiento, segura y sólida, vitral, húmeda, sin posible calcificación. Atrás o abajo o en alguna parte el miasma del cuerpo se revuelca entre la complejidad de las mojoneras. Así que la ampolla no encuentra obstáculos aparentes. Camila, sí, Camila la ampollada se ha prendido a esa imagen, se vuelve ya parte de esa interlocución, o como se llame. Es que ya nada se puede detener.

A sotavento la ampolla penetra como un beso, como el primer sol, a sotavento.

La vida o el mundo no son sueños de pájaros, porque como ya se dijo, el vuelo potencial es el único, el inmaculado.

Y: desde la parte más tensionada de esta suerte de diapasón, un fragor, como prenderse de brazos y piernas a un tubo del diámetro de las mangueras bombéricas y soltarse, dejarse ir por el puro vértigo del descenso, por la purísima fuerza de la gravedad, apretado y dejarse sentir los rasgueos de una música invisible que asciende desde el pubis hasta la punta de los pelos cabeciles fffffuuuuuuuuuummmmmmmm y no sentir la gravitación, sino que más bien como que un cielo borroso sube despavorido hasta el corazón de la Supernova que está allá arriba, arriba de la cabeza o abajo de no se sabe dónde (para variar), ahí, donde pudiera estar pulsando el llamado de la muerte de la misma Supernova, que desde hace milenios agoniza (las Supernovas revientan sus arterias y en su interior la sangre, la gran Sangre Nova chapalea pesadamente, muy nerviosa, y la estrella en cuestión sufre relajamiento, un descenso imperceptible, globo rojo muerto por hernia misteriosa, globo hemópico de hemopesía, fofo, que disminuye conforme la hernia lo hace ceder, columpiarse de una luz a la otra, péndulo rojo abriendo los canceles del universo). Es un asunto de vértigos, de super vértigos. Así este descenso.

Agarrarse a un tubo liso liso plateado frío abrazarse y ejecutar el desliz, dejarse caer devorado por el fragor, hasta que el movimiento ya no se sienta, estarse quieto y los brazos y las piernas casi por reventar de supernóvica enfermedad del esfuerzo de la túbica monta hacerse uno con el liso cilindro y que en ello vaya la vida (o la muerte), pero ya fuera de todo mameluco ya no saber si se es pájaro o mazorca bamboleada por el vendaval batir lo otro pero no yo sino lo otro moviéndose ante mi vista y yo ser la estática y no la resonancia perderse en el vórtice de la botija como mirar el tubo central del carrousel agazapado en nuestra propia alucinación en mi caballito mío mío galopando sus patas de mesteño tieso ojos abiertísimos de furias inconcebibles y azul el caballito verde o rojo y que los espectadores de abajo se conviertan en las meras rayas del horizonte aventuril.

Una monta estática como galopar de verdad cuando se monta un caballo verdadero un caballo-caballo (no pegaso) cerrando los ojos muy apretados y dejar el tubo frío y plateado deslizarse por los carrillos y que de lo tan frío se pase a lo tan caliente ardoroso ardórico y entonces ser el fiambre de la fricción es decir dejar que el desgaste irrumpa en la epidermis cachética y luego en los molares y así hasta el verdadero interior de la boca y hasta el otro y los otros lados de la cabeza y luego proseguir esternones y soláricos plexos y centros gravitacionales y que la boca ya no sea sino un puñado de piedras y luego repentinamente sentirse como detenido en verdad y ni tiempo para exhalaciones o apertura de párpados para mirar por dónde se circula es decir desaparecer y resguardarse en el último abombamiento cuando estrellas y dolores y todo eso haya quedado verdaderamente atrás en el olvido en el olvido verdadero.

Así el descenso.

Las lianas son químicas, Camila la desintoxicada. Estás, pero ya no estás, mística de pasado remoto, niña sin cuerpo, siempre con el azote de la piel devorando tus estremecimientos. ¿En dónde estás? ¿En dónde chingados? ¿Es que ya cerraste tus ojos?

Mirar al sesgo para evitar la podredumbre de las cloacas, la miseria de los ojos apagados o grises. No hay tradición que venga desde afuera, no alcanzan las palabras. ¿En dónde está el cuerpo? ¿A dónde se marcharon los dolientes?

Se está tan quieto aquí, tan verdaderamente quieto, tan lejos de todas las distancias.

El ojo de Camila, en donde esté, está resquebrajado, es decir que se trata de un ojo opaco y lúgubre, sin colores precisos (por el descenso), tal vez pudiera semejarse a un ostión disecado, o a la consistencia interior de una perla en el mero fondo del mar, donde los corales no se atrevieron. ¡Ojo!

Silencio, profundo silencio, donde ningún eco alcanza su mordida. Ni paredes ni huecos. Más que silencio, quietud... en este maremagnum las espiroquetas danzan sus derivas como emigraciones de pájaros enloquecidos o desesperados... más que silencio, quietud y, solamente, como un fiordo inmemórico, solamente el vértigo, digo, de imágenes imprecisas que ascienden y descienden desde algún colgadero de campanas, que a lo mejor pudieran rescatar a la retina, pero su mera configuración, su propio peso, es lo que las haría visibles, visibles, pero nunca ya sonoras, nunca ya, que el oído es lo primero que se escapa al otro lado del cañón, campanas sordas, campanas sin logos, campanas de lluvias negras pendulando en la pantalla gris de este impreciso y burdo despeñadero.

El corazón tardío, la diástole siempre atrás de la diástole, la sístole siempre atrás de la sístole. Ah, cada cual se pone su trampa atrás para quedar inmovilizado, atrás, atrás. Ah, el corazón tardío anclado en un entrevero de sangre, ¿qué pasa?, pero si este cuerponón, mortífero y fofo, tiene ahora los ojos definitivamente inmolados, pero desde sus testículos podemos presentir cómo el tipo este se imagina (o quizá no) que en su mano izquierda confluyen pequeños ríos de arena, mano llena de arena palpar cada gránulo arenisco y repasar la palma, punto por punto, hasta que la arena en la mano es un agujero de hormigas coloradas, hormigas en la mano izquierda hasta la tumefacción. Dureza, infla, piquetear, sordo zumbido, hierve el dolor del muerto hasta su izquierda mano, la mano de la clorofila en el sentido de que la postura de las manos de los muertos revela su actitud en lo que fuera su vida, y aún más: su actitud mortal.

El dueño este del corazón tardío. Pero el tiempo es una pura pulsación, sí, por supuesto, diastólica y sistólica.

Un ojo resquebrajado es prácticamente un caleidoscopio. Muchas garitas.

Pero finalmente, ¿qué es esta mirada introspectiva? Una punción fétida.

Las ventanas son profundas ¿profundas?, quién sabe, compañeros, si las ventanas sean cuadritos pintarrajeados en la pared. ¿Qué tan profundas son las ventanas? Para mirar profundamente cada profundidad. Aquí las ventanas no van más allá, uno se acoda y un murillo denso se nos adhiere a la nariz y a los ojos. Ustedes lo saben, nariz chata, pestaña fracturada. El binomio dolor-ojo. Bueno, lo digo en otras palabras: el cometa lleva una cauda producto de su paso, la cauda es fricción. Este cuerpo no friccionó en sus exteriores estancias, o sea que son mínimas luces lo de aquí adentro, apenas primitivas vihuelas lejos de cualquier mínima orquestación.

> El pájaro ciego
> aquí   se columpia
>   se columpia   se columpia
>   se columpia
> agarrado a los hilos del agua

Antes de continuar, de casi concluir, me parece urgente decir, al menos necesario, que esto no es una visión surrealista, tal vez ni siquiera sea lo que nos parece, la fétida punción óptica. Tal vez lo que observa el camílico es un mero auto-retrato. O pura ficción (no fricción). De cualquier forma es una cuenca del olvido y en el mejor de los casos una voz litúrgica, qué va...

Una idea puede advertirse apenas desde el caleidoscopio: los esqueletos podrían amar de verdad; carecen de género. Y otra detrás: en esta mampostería algo prepara el ariete y se dispara. El ariete resopla la furia y los muros se derrumban. Llegar hasta un gameto (ahí se instala Camila, toda ella, no sólo su ojo; ahí encuentra la imagen del otro cuerpo). Una breve reflexión acerca de su cuerpo allá afuera, pero no importa, pues aquí ha adquirido finalmente otro cuerpo, finalmente el otro.

> El ojo del venero
> que mana la cintilación
> de los ojos
> en este firmamento perpendicular

En un principio, al instalarse la visión en este cadáver, posiblemente el ojo de Camila la insubordinada pudo haberse topado con el estómago y poder haber advertido la presencia del estómago e imaginar una gaita: en donde mucosa y fibras y delicadísimos músculos se entretejen para dar a aquello un ritmo, un tono, una latencia, un pulsar para que la supervivencia no se mueva a la deriva. Una gaita cuyo diástole comienza en la pura voluntad, es decir cuando el gaitero prácticamente se infla y se transporta aéreamente por aquel intrincado canalerío; y produce música, una música nostálgica, triste. Y cuando esa música se transporta por los aires, el gaitero y su gaita o bien ya dejaron de tocar o van muy adelantados en el aspecto diastólico. Dos melodías, por decirlo de otro modo.

Diástole y Sístole: Ley y Frenesí, el fotón y los rumores.

En cualquier cuerpo que advirtamos esta forma gaital seguramente encontraremos esta función como de fuelle. Los pulmones, por ejemplo, son asimismo gaitas, es decir cualquier bolsa puede ser una gaita, hasta el cuerpo este que contiene al ojo camilesco y por consiguiente a nosotros que nos hemos dejado llevar por lo que aparenta ser una escarcha de pulsaciones involuntarias. Espero ser claro en lo que quiero decir.

Una gaita o un fiordo. ¿Se acuerdan del campanario? También el interior de la gaita es un campanario, muy preciso. De hecho, cualquier recoveco. Uf, pero entonces todo es un recoveco, o sea que una gaita, pero no, atención, recordemos que debe haber una correcta intermitencia entre lo diastólico y lo sistólico, pero atención otra vez, que esto no es lo mismo que la causa-efecto. Reflexión.

¡Rubina! La voz...

No es la sangre incierta, la sangre de las heridas mortales, no, es la sangre profunda, la sangre del fondo de la gaita. No es la sangre de las cuchillas, el fuego que brilla sus ojos en la cara plena de la sangre. No el charqueral sanguíneo del paraíso, la sangre roja, ¡no!, la sangre es el espíritu de la sangre, el resorte. Sangre de animal inocente, donde arde la luna pero deveras. Sangre silicio cuero perforado donde las ninfas no se atrevieron a saltar.

Pero el cuerpo es su propio sepulcro, no importa. En estas trojes los vampiros parece que devoran las semillas del Horlá, que parece descuidado, pero no, el Horlá solamente pule su holifante.

El Horlá pule su holifante mientras las corrientes de esa sangre van con el azufre a borbotones, inconclusas e incontenibles. Todo mengua. Y el Horlá se encuentra necesariamente en la costilla faltante, desde donde se creyó algún día que estaba el sistema primigenio de radares, desde donde se libraban las batallas inconcebibles. Mas no, aquí todo está cesante, como suspenso, caverna derrumbada. ¿En dónde está la costilla faltante? ¿En qué obtuso niple? Aquí sólo retozan unas trompas acaracoladas. En esta cisterna tan sólo reposan las marismas. El mar está en otro lado. El mar está en otro lado. (Bonita chingadera.)

Tal vez el cisne ojivioleta es un horlá.

Pregunta obligada: ¿en dónde está el barro? El ojo ya casi no ve.

Tal vez (otra vez tal vez) el Horlá es el cisne. Y no se mueve porque lo envuelve un cilicio. El cisne se mortifica para alcanzar alguna suerte de purificación.

Teodicea. La costilla faltante; en ese hueco debería haber una señal, algo, pero no, ni siquiera la sospecha de un rostro de mujer, incluso debería esperárse por lo menos algún quejido de hembra dolorosa. La costilla faltante. Alguna señal, algún vestigio del barro, pero no, aquí lo que apenas se ve a esta altura de las cosas es algo así como una mariposa reventada en descenso, lo que confirma el hecho de que los huesos y los músculos son una misma cosa, como los demás sistemas. Todo es uno aquí, sin más misterio. Cuando observamos un hueso vivo, o casi vivo, advertimos sangre y desde luego vestigios de venas o arterias y por supuesto, algo muy importante, la adhesión de la musculatura, es decir en ese sector que nos muestra que en alguna parte el músculo está calcificado o bien que el hueso está musculado. Lo dicho, en el ínterin está la clave de las cosas, en el ínterin, por eso es que cuando estamos en esos sitios, incluso aquí adentro de este cadavérico cristiano, hasta podemos adivinar catedrales o catacumbas o bolitas chinas deslizándose lúbricamente por la primera canalidad que encuentran, ¿o no es eso lo que ha estado sucediendo ahora? Eso que se ve, lo que dijimos era algo así como una mariposa reventada en descenso, es un trío de bolitas chinas restituyendo una breve catedral con pura almáciga de hígado y células del esternón. (Putísima madre.)

Esto sucede en el vértigo del descenso hace algunos momentos indicado. En el ínterin.

En la navegación, retazos, menudencias. Tras la cortina de la mariposa, en las hortalizas de las gónadas, una como trasudación producida quizá por la nostalgia de actos interrumpidos, ah, se equivocaron los derroteros, no se pudo detener la putrefacción, el misterio se quedó bajo llave y no pudo ya nunca mostrarse mediante claridosas miradas o incluso gráciles movimientos, ah, el plan falló en algo, no hubo ínterin, pues, al menos eso parece desde aquí. Sshhh, eso que se escucha es un muy muy lejano galope de marimbas fugándose en la oquedad. El ínterin es fundamental en cualquier proceso. Síntesis y concatenación.

Algo falló, pues fíjense que las ligas se tensan y uno puede adivinar que entre los ojos y los párpados del muertito unas espiguillas efectúan una intensa labor de cosquilleo, hasta provocar ardeduras y cráteres retinales, todo en este terrible proceso de cocinación de la gran nata, la gran nata, la super nata. Entonces, ¿a qué tanta alharaca?, ¿alguna real necesidad para la inseminación? Ah, este triste títere desvencijado tan lejos del sueño del amor. Sin embargo siempre nos queda una gran pregunta, una gran duda: adentro los sistemas ruedan o se despedazan intrínsecamente, pero siempre hay un postrer sistema de seguridad, un último recurso más allá de esta bacteriana fermentación, un último recurso, o que *no pudo más el pobre preso y se escapó...*

Hay mirlos en hibernación
cantos íntimos   profundos
dentro del pájaro hay aceros
por eso suena el canto
el carácter metálico del canto

87

pero ahora los mirlos están encandilados por alguna terrible luz

Las hormigas no tienen alas, pero algunos gusanos sí.

O bien ir en busca de las células de la lógica o bien buscar en qué parte ha comenzado el desprendimiento del fantasma de este cuerpo; entender de una vez por todas la causa del desmantelamiento. Pero lo que encontramos es una equivocación detrás de otra; ni siquiera el verdadero caos. Mentira, ningún organismo es dialéctico; es absolutamente estático, muy a pesar de Esquilo. Por eso son tan feas las células o el hígado o los mocos. Y posiblemente alguien sospeche que la ranura bucal es para el correcto desprendimiento del alma o algo así, pero no, esa flor negra es lo que permaneció del recuerdo de los diplodocos. Les dije, todo mengua y esto más bien parece la última congregación, por eso tanta quietud y entumecimiento ante el desamparo de los nahuales, nahuales espuma de zopilotes. Búcaro paralítico y suicida con los cabellos erizados, avispa mortificada que punza el aire definitivo o mariposa herida de muerte hacia el túnel final.

¿Y si este condensarse es síntoma de la condena? ¿Y qué tal si es el paso definitivo hacia la salvación? Algo ha de hacer el ojo de Camila la deslanzada quien tal vez piense aparte de la carne ¿qué es esto? Camila suicidadala... (pausa, apagón y una ideíta estremecida se descuelga por toda la columna vertebral *ciertamente no tiene gracia ser un dios que siempre ha estado del lado de quienes no lo necesitan, ¿un dios es para necesitarse?, no es importante. En cambio sí que lo es ser un* daimon *que siempre está dispuesto a ayudar a quien sí lo necesita. Y este pedazo de sangre, ¿acaso necesita algún dios o un* daimon? ¿En qué consistirá la salvación o la condena? Si el paraíso es mejor que la vida aquí, ¿entonces para qué la vida aquí? ,¿para qué el paraíso? El fuego destruye, pero purifica* y hasta aquí lo de la ideíta.

Ahora una reflexión: de los ojos le brotó un enjambre de zopilotes que le fueron revoloteando hasta convertirlo en una enrarecida telaraña. Así permaneció tristísimos siglos esperando un viento favorable que le hiciera recuperar la perdida memoria, Hombre Zopilotes Sal Negra La Pasión Le Asoma Por Los Ojos.

¿Te entenderían, Camila la rescatada?, ¿te entenderían?, ¿cómo sonarían esos sonidos si el ojo sólo ve?

La interconexión es absoluta, todo es conocimiento o posibilidad. No termina el muertito este en su piel, sino en la imagen de una estrella solar, ¿o marina? Entonces así las cosas no duerme nunca el cuerpo, porque se desplaza (aunque no sea dialéctico) épale, ¿qué anda haciendo un esperma con su compleja cadena de esferitas tan cerca del cerebro? Tal vez recabando información por el canal inadecuado ¡épale otra vez! la cabeza de una rata ¿o es un pato?

Teatro de las fantasmagorías, la ampolla no logra adquirir el tamaño adecuado. Ya, el sentido de la orientación ha encontrado plena obsolescencia, de plano ya no se sabe. El ojo vidriado es una perla negra e inmóvil. La sangre ya no reverbera. El ojo está ya a la merced del escalpelo. Los garfios agazapados.

Lo obsoleto es: (¿Recuerdan?) ... ascendiendo lo demás a una velocidad espeluznante estampida de nahuales hacia arriba chupados violentamente por el llamado urgente de la sangre del Gran Nahual... nahuales que se desplazan como caballitos alados... ESTO YA NO IMPORTA, PUES... NI... adentro todo es un ardid, un ardid circular de úlceras y adrenalinas... NI... cómo burbujea la pigmentación, cómo burbujea y los colores, el pelo, los ojos, la sangre, los riñones, las callosidades de cada talón... NI el ánfora guardando el secreto del crecimiento... OBSOLESCENCIAS.

EL ÚLTIMO GIRO

Afuera el cadáver comienza a gotear pus, una lluvia lenta pastosa blancuzca. La base del nicho ese se ha caldeado; el charco ha rajado la tabla. Si alguien a estas alturas se fijara con cierto detenimiento podría observar el goteo sobre la duela, pero los dolientes están ensimismados, aturdidos de sueño, los ojos y las carnes al punto de la incineración. Incineración. El sueño, ¿qué diferencia habría entre el doliente sueño y el sueño del dolido? Los cirios ya han cedido a la oxigénica, pero no importa, la breve luz por las ventanas es sable para rajar la oscuridad. El aire en la estancia es sólido de tantos suspiros y tantos resollamientos. Alguna niña pudiera abrir bien los ojos, fijarse en las somnolencias y esbozar una daimónica sonrisa; y esa niña tomar la cajita de cerillos de papá o de mamá y luego deslizarse subrepticia hasta llegar a la mismísima base feretral y ahí hacer horribles gestos ásquicos al advetrir que lo que escurre es algo más que pus, algo como carne derritiéndose, huesos en la final cancerización, prender el cerillo y arrojarlo al cuajo que ya debe haber alcanzado un importante grado de combustibilidad, ffffuuuuuuuummmmmmmmm el cerillo ahogándose en esa confitura de cáncer en combustión... ffuuummm una voluta fogosa y otra, el gran flashh...el big bang...

Adentro, justo en el septentrión hipotalámico (dónde si no) un escurrimiento provoca un desfase del ojo aquel. Con lo que hubo: el intenso calor provoca que el óculo pierda su calidad de perla, de perla inmóvil y negra y opaca, perla monótona ya sin spleen, porque después del alud algo como una pequeña caja sorda comienza a pulsar. La caja es azulosa, húmica y esferiquita, plup y entonces el comienzo de la rotación, sobre su eje, al tiempo que una centrífuga desplaza y ordena los corpúsculos aledaños, pero todo muy lento (entre paréntesis debo advertir que no sé con exactitud en dónde se encuentra ahora el ojo de Camila la sustanciosa), y luego la centrípeta para la correcta acomodación de carbonos, aminoácidos y desoxirribonucléicos que por ahí se acumulan. Es un estira y afloja de esas dos fuerzas hasta que ¡puf! una voluta de color impreciso se aglomera en sí misma para sufrir una relajación posterior, fotones miles de miles ensayando la implosión, pero no hay tal, supuesto que en seguida tenemos conque la pira esa se desparrama, en elipses, siempre en elipses.

Lo más seguro, lo usual, es ponerse a observar el desplazamiento, pero no el núcleo, así que ahora no pensemos en las ondas físicas, sino en sus resortes, ¡claro!, ¡ahí se aposenta el ojo! por entre la piel del hidrógeno. Se queda un hueco, pues, y de esa azulosidad azulísima tomamos el siguiente y último encuadre:

Una habitación amplísima, como de mármol, oval, enfocamos al centro, donde se encuentra una como mesa o ara rectangular; y ahí un cuerpo, de mujer, de imprecisa mujer en estado de desmayo, desnuda y fría. Observándola un hombre y su sombra que se le empalma, un hombre de rala cabellera y absolutamente lampiño de lo demás, de brazos largos y muy delgados y de un rostro que parece la desembocadura de un quietísimo río, ojos profundos y acuosos, como si hasta se viera ahí el chapaleo del agua por entre piedras. El hombre está bidimensionado con su sombra azul, pero esa sombra no es una sombra de espacio, sino de tiempo, es decir que la susodicha sombra se mueve sólo apenas unas milésimas de segundo después del cuerpo que la proyecta. La sombra no está, es. Bien, en medio de ese húmedo silencio y con coros, diametrales, el hombre llega hasta la mujer aletargada, la observa rostro pegado a la piel de la cabeza a los pies, es Camila, Camila la distendida, no su ojo, sino Camila la completa, Camila lejos de toda fermentación, sino Camila la lozana, Camila la completada, la pulcra momentos antes de emitir sus breves quejas de placer, antes de que el hombre ese la tome en sus brazos y la despliegue para llevársela y perderse ambos en el campo de las inusitadas gravitaciones en donde Camila sepa con certeza que ha encontrado la salvación, al menos su salvación, escape, Camila en el principio de la armonía, Camila cabellera acuosa destilación, Camila ojos de cisne violeta, Camila latente en el corazón de la negra luz.

La verdad ignoro en dónde está el campo de las inusitadas gravitaciones. Aquí ya puro desapercibimiento, es decir sin el ojo, sin Camila y sin el muerto.

CAMILA LA RESCATADA

Esta obra se terminó de imprimir
en el mes de abril del 2000
en los talleres de
Programas Educativos S.A. de C.V.
Calz. Chabacano No. 65 Local A
Col. Asturias, C.P. 06850
México. D.F.

EMPRESA CERTIFICADA POR EL
INSTITUTO MEXICANO DE NORMALIZACIÓN
Y CERTIFICACIÓN A.C. BAJO LA NORMA
ISO-9002: 1994/NMX-CC-04: 1995
CON EL NÚM. DE REGISTRO RSC-048

Tiro de 1000 ejemplares más sobrantes